世界でいちばん簡単な
ExcelVBAのe本

最新第4版
Excel2021/2019
完全対応版

ExcelVBAの基本と考え方がわかる本

Doyo Daisuke
道用大介 =著

秀和システム

本書のサンプル、演習用ファイル、特典プログラムのダウンロードサービスを行っています。詳しくは本書235ページ「ダウンロードサービスのご案内」をご覧ください。

●注意
❶本書は著者が独自に調査した結果を出版したものです。
❷本書は内容について万全を期して作成いたしましたが、万一、ご不審な点や誤り、記載漏れなど、お気付きの点がありましたら、出版元まで書面にてご連絡ください。
❸本書の内容に関して運用した結果の影響については、上記❷項にかかわらず責任を負いかねます。あらかじめご了承ください。
❹本書の全部、または一部について、出版元から文書による許諾を得ずに複製することは禁じられています。
❺商標
・Microsoft Windowsは、米国Microsoft Corporationおよび、その他の国における商標、または登録商標です。
・その他、ソフトウェア名、ハードウェア名は一般に各メーカーの商標、または登録商標です。

はじめに

　本書は 2009 年に刊行された初版から改訂を重ね、多くの方々に VBA の入門書としてご利用いただいています。主な読者は社会人ですが、エクセルを使ってご自身の仕事を効率化したいと考えておられる方が多いようです。また、学生ではプログラミングの入門書として利用する方も多くおられます。

　プログラミングは、実際に使えるものを作ろうとすると、ある程度複雑になります。英語の学習で「Hi! How are you?」までは簡単ですが、自分の言いたいことを正確に伝えようとするとなかなか難しいのと似ています。

　とはいえ VBA では、基本文法を除いて日本語も使えるので、「あのやり方はここに書いてあったな」という大まかな知識と、プログラミング独特の「論理的に組み立てる力」を身につければ、ある程度までコピペでなんとかなります。

　本書では、モチベーションを保ちながら読み進められるように、専門書のような難しいことは極力省いて平易な解説を心がけていますが、後半になってくると、プログラミング独特の書き方や組み立て方が難しいと感じる方もおられるかもしれません。そんなときは無理に先へ進まず、読み進めたところまでの知識とインターネットで拾った情報を組み合わせて、簡単なプログラム作りを実践してみてもよいかもしれません。

　プログラミングの学習でよくあることですが、本を最初から最後まで理解して、いざ作りたいものを作ろうとすると、逆にどうすればよいかわからないという声をよく耳にします。

　あくまで自分の作りたいものを作ることが目的であって、本の内容をすべて理解することを目的としない、というスタンスも大事かもしれません。

　本書が、皆様の仕事の効率化に少しでもお役に立つことができれば幸いです。

2022 年 5 月　道用大介

本書の特徴

▶対象読者

本書は、以下のような方を対象読者としています。

・中学生以上の方
・これからプログラミングの勉強を始めようと思っている方
・プログラミングを勉強して挫折した方
・プログラムを作ったことはないが、仕事で Excel を使っていて、仕事の効率を向上させたい方
・プログラムを作ったことはないが、上司から作るよう指示された方

▶本書の目的

本書の目的は、「プログラミングって難しい」と思っている方や初心者の方に対して、プログラミングの垣根を低くしつつ、プログラミングの基本を伝え、Excel VBA プログラミングの基礎力を身に付けていただくことにあります。

▶本書の構成

★Chapter 1

この章では、Excel VBA とは何かというところからスタートし、筆者の経験を踏まえて Excel VBA の便利さや学びやすさについて紹介します。

★Chapter 2

この章では、Excel VBA のセキュリティの設定はどうするか？　プログラムはどこに書くのか？　Excel の中のいろいろな "モノ" を Excel VBA でどう呼ぶか？　など、プログラムを書くための準備と予備知識の説明をします。

★Chapter 3

　この章では、Excel VBA プログラミングに必要な基本文法を説明します。

★Chapter 4

　この章では、どんなプログラミング言語でもつまずきやすい関数と配列について、やさしく説明します。

★Chapter 5

　この章では、Excel のシート削除などのオブジェクト操作、Excel に用意されている SUM などの関数、といった Excel の既存機能を Excel VBA 上でどのように記述するかについて説明します。

★Chapter 6

　この章では、3 章で説明しなかった複雑な処理をする場合の応用文法を説明します。

★Chapter 7

　この章では、実際にプログラムを作っていく上で、知っておくと便利なことがらを、文法に限らず説明します。

★Chapter 8

　この章では、便利モジュールを使って手軽に実用的なプログラムを作ってみます。

▶推奨するプログラミング環境

　・Excel 2013 以降のバージョン
　・Windows 10 または 11

目次
CONTENTS

基本編

Chapter 1　はじめに　……………………………………　14

Section 01　Excel VBA を勉強しよう　………………　16
VBA とは　…………………………………………　16
Excel という部下を持とう！　……………………　18
手作業は面倒　……………………………………　20
Excel VBA は学びやすい　………………………　23

Chapter 2　プログラムを書く準備　…………………　26

Section 01　前準備　…………………………………………　28
セキュリティの設定　……………………………　28
セキュリティの設定手順　………………………　29
VBA 開発環境を整える　…………………………　30

Section 02　プログラムを書く　………………………　31
エディターを開く　………………………………　31
モジュールを作成する　…………………………　33
プログラムを書く………………………………　34
プログラムを実行する……………………………　35
ファイルを保存する　……………………………　38
ファイルを開く　…………………………………　38
プログラム記述までの流れ（まとめ）　………　39

Section 03　いろんなモノ(オブジェクト)の呼び方　……　40
オブジェクト　……………………………………　40
コレクション　……………………………………　41
プログラム中でのセルの数え方…………………　41
プログラムの中でのオブジェクトの表記方法………　42
プロパティとメソッド………………………………　43

Chapter 3　VBA の基本文法を覚えよう ········· 44

Section 01　手順化 ········· 46
手作業を手順化 ········· 46
プログラムへ変換 ········· 48

Section 02　変数と代入 ········· 49
変数とは ········· 49
代入とは ········· 50
データ型 ········· 52
変数の宣言 ········· 53
文字列 ········· 55

Section 03　条件分岐 ········· 56
条件分岐とは ········· 56
If 文 ········· 57

Section 04　繰り返し ········· 60
繰り返しとは ········· 60
For 文 ········· 61
カウンター変数 ········· 63
カウンター変数の開始値 ········· 63
カウンター変数をうまく使うことがキモ！ ········· 64
二重構造の For 文 ········· 65

Section 05　演算子 ········· 69
算術演算子 ········· 69
比較演算子 ········· 69
論理演算子 ········· 70

Section 06　プログラムを簡潔にするための文法 ········· 71
オブジェクト変数 ········· 71
With 文 ········· 73
インデント ········· 74
コメント ········· 75

Section 07　基本文法の演習 ……………………………………………… 76

- 演習 1　セルの値を入れ替える …………………………………… 76
- 演習 2　最大値を求める …………………………………………… 76
- 演習 3　偶数と奇数を判断する …………………………………… 77
- 演習 4　席番号を記入する ………………………………………… 77
- 演習 5　身長と体重から BMI を求める ………………………… 78
- 演習 6　データを違うシートに転記する ………………………… 78

応用編

Chapter 4　関数と配列の基本 ………………………………………… 80

Section 01　関数入門 ……………………………………………………… 82

関数とは ……………………………………………………………… 82

引数と戻り値 ………………………………………………………… 83

VBA 関数の使い方 …………………………………………………… 83

Section 02　ユーザー定義関数 ………………………………………… 86

ユーザー定義関数とは ……………………………………………… 86

Function プロシージャ ……………………………………………… 86

ユーザー定義関数の呼び出し方 …………………………………… 87

戻り値の返し方 ……………………………………………………… 88

変数の有効範囲 ……………………………………………………… 89

引数の上書きに注意！ ……………………………………………… 92

値渡しと参照渡し（ByVal と ByRef）…………………………… 95

Section 03　配列 …………………………………………………………… 97

配列とは ……………………………………………………………… 97

配列の宣言方法 ……………………………………………………… 98

添え字と要素数 ……………………………………………………… 98

ReDim で再定義 ……………………………………………………… 100

Section 04　関数と配列の演習 ………………………………………… 102

- 演習 1　携帯電話の料金計算 ……………………………………… 102
- 演習 2　データの順序を逆にする ………………………………… 103

Chapter 5 オブジェクト操作と既存関数 104

Section 01 オブジェクトの操作 106

フォント名 106

フォントの色 107

セルの背景色 108

色について（色の定数、RGB、ColorIndex）..................................... 109

行・列の挿入と削除 110

行・列の非表示と表示 111

値の入っている最終行・最終列を知る 112

セル範囲の指定 114

ワークシートの数を知る 114

ワークシートの追加 115

ワークシートの削除 116

保存してあるワークブックを開く、上書きする、閉じる 116

新しいワークブックを作成する 117

Section 02 ワークシート関数の利用 118

指定した範囲の合計、最大値、最小値を求める 118

Section 03 VBA 関数の利用 120

日付の加算 120

2 つの日付の間隔を求める 121

文字列の文字数を求める 122

文字列の一部を抽出する 123

データ型の変換 124

絶対値を求める 125

整数部分だけを抽出する 125

平方根を求める 127

乱数を使う 127

三角関数を使う 129

Section 04 オブジェクト操作と既存関数の演習 130

・演習 1　条件を満たすセルに色を塗る 130

Chapter 6　応用文法 132

Section 01　条件分岐と繰り返しの応用文法 134
条件分岐（Select Case 文）..... 134
繰り返し（Do 文）..... 136

Section 02　その他の制御文 141
繰り返しやプロシージャを抜ける（Exit）..... 141
指定した場所にプログラムをジャンプさせる（GoTo）..... 144
プログラムの実行を終了させたい（End）..... 146

Section 03　ユーザー定義型 147
ユーザー定義型とは 147
ユーザー定義型の定義方法 151

実践編

Chapter 7　実践的な使える技 154

Section 01　機能別、目的別にプログラムを分割 156
Sub プロシージャの呼び出し 156
プログラムの分割 157

Section 02　モジュール化 160
よく使うプログラムを使いまわす 160
モジュールにまとめる 161
モジュールのエクスポート 162
モジュールのインポート 163

Section 03　プログラムを途中で中断する 166
ブレークポイント 166
ウォッチ式 167

Section 04　ワークシートをユーザーインターフェースとして使う 169
ボタンを押してプログラムを実行 169

Section 05　メッセージボックスとインプットボックス 171
処理の途中でユーザーに確認や入力を求める 171
メッセージボックスの使い方 171
メッセージボックスの戻り値を取得 174

インプットボックスの使い方 ……………………………………………… 175

Section 06　ワークシートイベント …………………………………………… 176

ワークシートイベントとは ………………………………………………… 176

シートモジュール ……………………………………………………………… 177

イベントの取得 ……………………………………………………………… 177

BeforeDoubleClick イベントの例 ………………………………………… 179

Chapter 8　簡単プログラミング ……………………………………… 180

Section 01　はじめに ………………………………………………………… 182

日本語がいいよね。覚えたくないよね。 ………………………………… 182

入力補助機能 ………………………………………………………………… 183

便利モジュールのインポート …………………………………………… 183

便利モジュールを使うための魔法の命令 ……………………………… 184

半角のドット (.) を打てば候補が出てくる ……………………………… 185

半角括弧で必要引数の表示 ……………………………………………… 186

最後に「代入」「呼び出し」 ……………………………………………… 187

グループと命令の一覧 …………………………………………………… 188

Section 02　便利モジュールを使ったプログラミング例 ……………… 190

集計業務を自動化する …………………………………………………… 190

ステップ1：シートを初期化（クリアして項目を記入）………………… 190

ステップ2：複数のワークブックの内容を1つのシートにまとめる … 193

ステップ3：1つのシートにデータをまとめる ………………………… 194

ステップ4：データの整理 ………………………………………………… 196

ステップ5：集計項目の作成（データから重複を削除する）………… 199

ステップ6：集計 …………………………………………………………… 200

ステップ7：表をクリア …………………………………………………… 201

ステップ8：表に書き込み ………………………………………………… 203

新しいファイルとして保存する ………………………………………… 205

Call ですべてを呼び出す ………………………………………………… 206

資料 212

01 演習問題正解編 212
02 主要コマンド一覧 227

用語索引 231

コラム

□この本の読み方 25
□保存時の惨劇 32
□繰り返しと改善 68
□アルゴリズム 119
□ワークシートの列数はなぜ中途半端なの？ 131
□自分勝手なプログラム 159
□「C_条件で抽出」の条件設定 207

★基本編★

基本編は Excel VBA の "いろは" です。
あまり構えずに読み進めてください。
ただし、3章は大事なのでしっかり
マスターしてくださいね。

Chapter 1

はじめに

Section 01　Excel VBAを勉強しよう

- VBAとは
- Excelという部下を持とう！
- 手作業は面倒
- Excel VBAは学びやすい

この章でマスターすること

1章では難しい話はいっさいしません。Excel VBAとは何かを理解し、コンピューターの性質を理解してください。また、筆者の経験を踏まえてExcel VBAの便利さや学びやすさについて紹介しますので、これから勉強するExcel VBAに夢を膨らませていただけたらと思います。

Excel VBA 必須用語
アプリケーション
プログラミング言語

ステップアップ用語
手順化

Section 01 Excel VBA を勉強しよう

Section 01 では、VBA とは何か？ どんなことができるのか？について説明します。

VBA とは

VBA とは何かを知る前に、まず、次の2つのことを知っておいてください。

- Visual Basic（ビジュアル・ベーシック）というプログラミング言語があります。
- コンピューターに何らかの仕事をさせるソフトのことをアプリケーション（Application、略してアプリ）ともいいます。

言語とアプリ

「プログラムって言葉はよく聞くけど、何なのさ？」「プログラミング言語って何さ!?」と思った人！ 簡単にいうと、次のようなものだと思ってください。

Point

プログラムとはコンピューターを自動で動かすために、コンピューターの動き方を記述した手順書で、プログラミング言語とはその手順書で使う言葉です。

手順書をコンピューターに渡すことで、コンピューターはそのとおりに動いてくれます。

プログラムは手順書と思うべし

話を元に戻します。VBAとはVisual Basic for Applicationsの略です。この場合のApplications（コンピューターのソフト）はMicrosoft社製ソフトの「Word」「Excel」「PowerPoint」「Access」などのことです。VBAとは、Word、Excel、PowerPoint、Access用のVisual Basicなのです。なお、本書ではVBAのうちExcelに関する部分をExcel VBAと呼ぶことにします。

> **Point**
> 要するにVBAは、Word、Excel、PowerPoint、Accessという「コンピューターソフト」を自動で動かすための「手順書」を書くときに使う「言葉」です。

VBAを使えるソフト

また、プログラミング言語とは手順書を書く**言葉**だという説明をしましたが、VBAは超簡単な英語だと思っていただいて結構です。英語と聞いて怖がらないでください。**"超"簡単**な英語です。

Excel という部下を持とう！

　さて、Excel VBAがどんなことに使えるかですが、いままで手作業でやっていた仕事が自動でできます。極端な例だと、作業に何時間もかかり、あなたが「忙殺」されそうになっていた仕事を「秒殺」できます。

ただし、プログラムを書いて処理できるのは手順がはっきりしている仕事だけです。先ほど、プログラムは**手順書**だといいましたが、手順書は対象となる仕事が手順化されていないと書けません。

手順化なくして PC 動かず

　人間のように、初めて起こったことに対して状況を理解しながら**うまいこと対処する**ということは、コンピューターにはできません。そういった意味では、コンピューターはおバカさんです。しかしコンピューターは、決まったことを処理するスピードはめちゃくちゃ速く、正確なのです。なので、皆さんのふだんの仕事で手順がはっきりしていて、かつ、毎日繰り返し行っている仕事（ルーチン業務）は、**VBAで手順書（プログラム）を書いてコンピューターに渡す**だけで格段に速く処理できます。たとえ、手順書（プログラム）を書くのに時間がかかったとしても、その仕事が毎日続くものであれば、トータルで見れば、仕事は必ず楽になっているはずです。あなたがちゃんと手順書さえ書けば、コンピューター（Excel）はあなたにとって、**仕事の速い優秀な部下**になってくれるのです。

Excel は部下だと思うべし

手作業は面倒

　そうはいっても、実際はプログラムが嫌い、苦手という人も多くいるのは事実です。筆者は理系だったので、大学2年生のときからFORTRANやC言語といったプログラミング言語の教育を受けていました。しかし、実は筆者も大学4年生の途中までプログラムが大っ嫌いでした。何に使うのかさっぱり理解できなかったのです。いま、筆者がプログラムの本を書いていることを大学時代の同級生が知ったら、びっくりすると思います。

　そんなプログラム嫌いだった筆者がプログラムを作るようになった経緯を説明します。
　大学4年時の研究室を決める際に、IE（インダストリアル・エンジニアリング）といって、工場の作業改善などを行っている研究室を選びました。プログラムを使わなくてよさそうだったということも、この研究室を選んだ理由の1つでした。
　その研究室で、毎日実験に明け暮れていたわけですが、1日実験すると実験データの処理にも1日かかっていました。そのデータ処理の内容は、大量のデータをある手順に従って、ひたすらExcelで計算していくというものでした。自分ではそれが普通だと思っていたので、ひたすら実験とデータ処理を繰り返していました。
　しかし、自分と同じような実験をしている大学院の先輩の処理がやたら速い！　帰るのも早い！　なのに、実験回数も多い！　最初は、さすがに大学院生はすごいなぁと思っていました。

ある日、先輩がお昼ご飯を食べに行っているときに、先輩のパソコンの画面を見てみると、何やらパソコンが勝手に動いていて、先輩はお昼ご飯から帰ってきたら、また実験を始めました。

私　：「先輩、データ処理は終わったんですか？」
先輩：「あぁ、お昼に行ってる間に終わった」

私　：「ひょっとして、その自動で動いていたやつですか？」
先輩：「そうだよ。お前もプログラム作って処理した方がいいよ」

私　：「先輩のプログラムで僕のデータ処理もできないのですか？」
先輩：「俺とお前の処理は違うからな、ちょっと変えなきゃいけないな」

　そんなに速く処理できると知ってしまうと、自分がやっていることが猛烈に**面倒くさい**と感じるようになり、このとき初めてプログラムを勉強しようと思ったわけです。
　そして、つたないですがVBAでプログラムを作って処理することで、圧倒的な時間短縮に成功しました。
　「プログラムは面倒なものだ」と思っていた筆者が、「プログラムは人を助けてくれるものなんだ」と実感した瞬間でした。

> プログラムはあなたを助ける

Excel VBA は学びやすい

　Excel VBAは、初心者にとっては非常に学びやすいプログラミング言語です。その理由として次の3点が挙げられます。

❶Excelがインストールされているパソコンであれば、タダで使える
❷多くの授業や業務でExcelが使用されているので、イメージしやすい
❸Excelの処理自体がすでに手順化されている

　❶に関しては、最近では学校や職場のほとんどのパソコンにExcelがインストールされています。Excelがインストールされているパソコンなら、タダでExcel VBAのプログラミングができます。JavaやPythonもタダですが、設定が面倒です。初心者は設定だけで嫌になってしまうでしょう。

始めるにはタダが一番

　❷に関しては、先に述べたように学校や職場のほとんどのパソコンにExcelがインストールされているため、必然的に多くの授業や業務で使われます。つまり、見慣れた画面でプログラミングができるわけです。
　また、広く利用されているため、どんなことができるか想像しやすいですし、どう使いたいかということも、自分の仕事に当てはめて考えれば想像しやすいでしょう。
　筆者自身も、ほかのプログラミング言語を勉強してもまったく興味がわかず、自分がExcelで行っていた処理を自動化できるとわかって、はじめてExcel VBAを勉強し始めました。
　そういった意味で、Excel VBAは多くの人にとって、勉強のモチベーションを保ちやすいプログラミング言語なのではないでしょうか？

> 花は桜木、ソフトは Excel

❸に関しては、3章の基本文法でも述べますが、Excelの処理は手作業の処理でも、その多くは手順化されています。

　手順化された作業をある規則に従って記述すれば、プログラムになってしまうのです。プログラムは手順書だという説明をしましたが、手順化されているものは手順書も書きやすいのです。

　つまり、Excel VBA プログラミングでは、実際のExcelでの手作業とプログラムの流れをリンクさせながら考えることで、抵抗なく受け入れられると考えられます。

> 手順化済みの Excel 処理

　以上の点から、プログラミングを始める人にはExcel VBAはうってつけのプログラミング言語だといえるでしょう。

この本の読み方

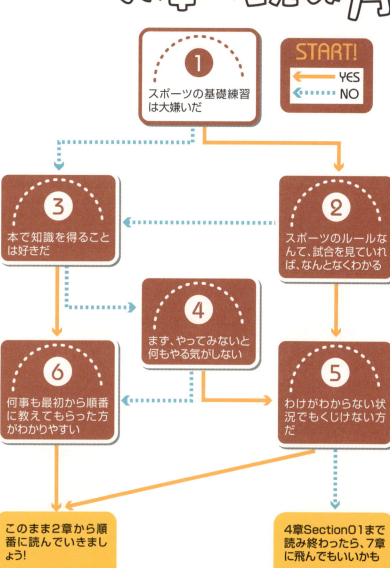

Chapter 2 プログラムを書く準備

Section 01　前準備
- セキュリティの設定
- セキュリティの設定手順
- VBA開発環境を整える

Section 02　プログラムを書く
- エディターを開く
- モジュールを作成する
- プログラムを書く
- プログラムを実行する
- ファイルを保存する
- ファイルを開く
- プログラム記述までの流れ（まとめ）

Section 03　いろんなモノ（オブジェクト）の呼び方
- オブジェクト
- コレクション
- プログラム中でのセルの数え方
- プログラムの中でのオブジェクトの表記方法
- プロパティとメソッド

この章でマスターすること

　この章では、Excel VBAのセキュリティの設定はどうするか？　プログラムはどこに書くのか？　Excelの中のいろいろな"モノ"をExcel VBAでどう呼ぶか？　など、プログラムを書くための準備と予備知識の説明をします。
　プログラムを悪用されることもあるので、セキュリティを設定する必要があります。セキュリティの設定をしないとプログラムを実行できないので、必ず最初に設定しておいてください。

⊗Excel VBA 必須用語⊗

VBE　　　　　モジュール
プロシージャ　ワークシート
　　　　　　　ワークブック

⊗ステップアップ用語⊗

オブジェクト
コレクション

Section 01 前準備

Section 01 では、プログラムを書くための前準備として、セキュリティの設定と Excel での開発環境の設定について説明します。

セキュリティの設定

　Excel VBAでプログラムを書くことでExcelを自動で動かせるというのは、実は危険なことでもあります。

　例えば、悪意のある人が、Excelファイルを開くとパソコンのデータを自動的にすべて消す、というプログラムを作ったとしましょう。そのExcelファイルを不特定多数の人にメールで送信し、受信した人が送られてきたExcelファイルを開いてしまったらどうでしょう。その瞬間、パソコンのデータは全部消えてしまいます。

　そういったことがないよう、Excelにはセキュリティ機能が付いています。セキュリティのレベルを高くしすぎるとプログラムを実行できなくなるので、安全性と利便性の両方を満たすようなセキュリティレベルにする必要があります。

　なお、Excelを操作していると「マクロ」という言葉が出てきますが、

> **Point**
> **マクロとはプログラムのこと。**

備えあれば憂いなし

ウイルス

と思っていただいて結構です。

セキュリティの設定手順

「マクロを含むファイルを開くと、警告を表示して、マクロを有効にするかどうか確認する」という設定にします。

 任意のブックを開き、[ファイル]タブをクリックします。

 [オプション]をクリックします。

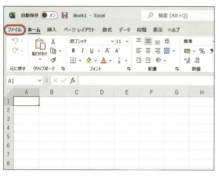

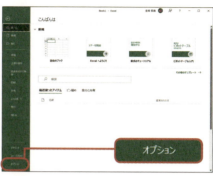

 サイドバーのメニューで[トラストセンター]を選択し、右の画面で[トラストセンターの設定]ボタンをクリックします。

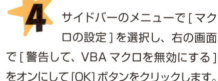 サイドバーのメニューで[マクロの設定]を選択し、右の画面で[警告して、VBAマクロを無効にする]をオンにして[OK]ボタンをクリックします。

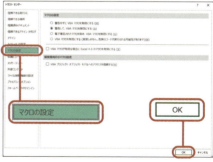

 [Excelのオプション]の[OK]ボタンをクリックします。

VBA 開発環境を整える

次の手順で[開発]タブを表示し、VBAの開発環境を整えてください。

[ファイル]タブをクリックします。

[オプション]をクリックします。

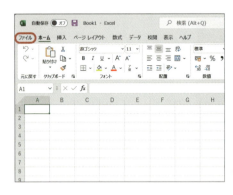

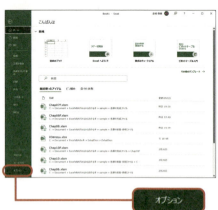

オプション

[リボンのユーザー設定]をクリックして、画面右側の[開発]にチェックを入れ、右下の[OK]ボタンをクリックします。

[開発]タブが表示されたことを確認します。

開発

Section 02 プログラムを書く

Section 02では、プログラムを書くためのエディターの起動方法や、プログラムをどこに書くのか？ どうやって実行するのか？ について説明します。

エディターを開く

プログラムを書くためのエディターの開き方の手順を説明します。
なお、Altキーを押しながらF11を押すだけでも、エディターを開くことができます。

 [開発]タブをクリックします。

 [Visual Basic]アイコンをクリックします。

以上の手順を実行すると、何やら見たことのない画面が出てきます。この画面が、皆さんがこれからプログラムを編集する画面で、**VBE**(Visual Basic Editor)といいます。

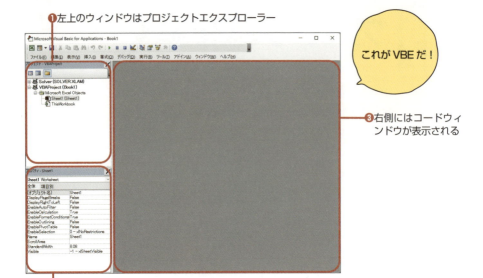

COLUMN 保存時の惨劇

　Excel 2007以降では、プログラムが記述されている（マクロ機能を持った）ファイルは普通のファイル形式[Excelブック(xlsx)]として保存できず、マクロが有効なタイプのファイル形式[Excelマクロ有効ブック(xlsm)]として保存しなくてはいけません。間違って普通のファイル(xlsx)として保存してしまうと、せっかく作ったプログラムが一瞬で消えてしまうという惨劇が起こってしまいます(>_<)。プログラムを書いたファイルは、惨劇が起こる前に早い段階で[Excelマクロ有効ブック(xlsm)]で保存しておくことをおすすめします。

　また、Excel 2003以前のバージョンでも使う可能性がある場合は、[Excel 97-2003ブック(xls)]として保存しましょう。[Excel 97-2003ブック(xls)]では、「普通のファイル形式」と「マクロが有効なタイプのファイル形式」の区別がありません。

モジュールを作成する

VBEのメニューバーの[挿入]➡[標準モジュール]を選択すると、左のプロジェクトエクスプローラーに「Module1」というものが追加されます。

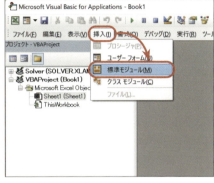

Point

モジュールは、プログラムという**手順書を書く紙**みたいなもの。

このモジュールにプログラムを書きます。

モジュールには下記のような種類のものがあります。本書では、標準モジュール、シートモジュールを扱います。

基本的には標準モジュールを使うので、標準モジュールを作成する手順は必ず覚えておきましょう。

●モジュールの種類

標準モジュール
フォームモジュール
クラスモジュール
シートモジュール
ブックモジュール

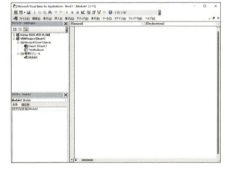

モジュールは紙と思うべし

モジュールはプログラムを書く紙みたいなものだよ

モジュール

プログラムを書く

プロジェクトエクスプローラーで「Module1」をダブルクリックすると、コードウィンドウに「Module1」の中身が表示されます。コードウィンドウで「Module1」の中にSub testと書いてEnterキーを押してください。そうすると、次のように()とEnd Subという文字が勝手に表示されたと思います。

```
Sub test()

End Sub
```

Sub～End Sub を **Subプロシージャ** といいます。Subプロシージャの中にプログラムを書きます。

> **Point**
>
> **プロシージャとは、プログラムという手順書の各章みたいなもので、プログラムの塊です。**

電化製品の説明書も「1章　電源の入れ方」「2章　使用上の注意」など、ある塊ごとに記述されています。

プログラムでは、その塊がプロシージャです。また、各章には「電源の入れ方」などの表題が付きますが、上の例でいうと「test」が表題にあたり、プロシージャ名といいます。

プロシージャ内に書かれたプログラムは上から順番に実行されます。

プロシージャは章と思うべし

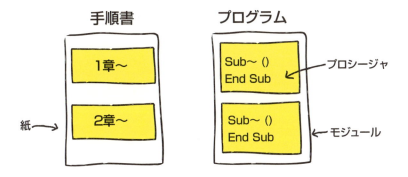

　プロシージャには、次のような種類があります。Functionプロシージャについては、4章の関数のところで説明します。

●プロシージャの種類

・Subプロシージャ
・Functionプロシージャ

プログラムを実行する

　先ほど作成したtestプロシージャの中に、次のような簡単なプログラムを書いてみましょう。

```
Sub test()
    MsgBox ("testプロシージャを実行しました")
End Sub
```

このプログラムを実行するには、次の2つの方法があります。

① VBEの画面で実行する。
② Excelの画面で実行する。

① **VBEの画面で実行する方法**

VBEで実行する場合は、画面にある ▶ のアイコンが実行ボタンです。カーソルがプロシージャの範囲内にある状態で実行ボタンを押すと、そのプロシージャが実行されます。

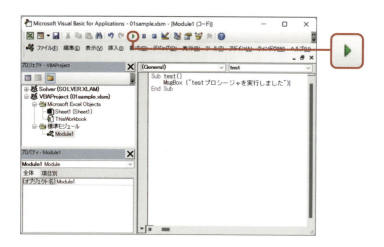

カーソルがプロシージャ内にない状態で実行ボタンを押すと、下の画面のように、実行するプロシージャを選択する画面が表示されますので、実行したいプロシージャを選択し、右側の[実行]ボタンを押すことで、選択したプロシージャが実行されます。

実行したいプロシージャを選んで実行ボタンを押す

②Excelの画面で実行する方法

1 [開発]タブのマクロアイコンをクリックする

　図のように、実行するプロシージャを選択する画面が表示されますので、実行したいプロシージャを選択して、右側の[実行]ボタンを押すことで、選択したプロシージャが実行されます。

2 実行ボタンをクリックする

　testプロシージャを実行して、次のようなメッセージボックスが表示されれば、実行成功です。

3 実行が成功した

ファイルを保存する

　プログラムを保存するには、「Excelマクロ有効ブック」(拡張子は「.xlsm」)という形式で保存する必要があります。

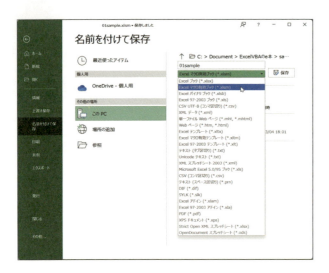

ファイルを開く

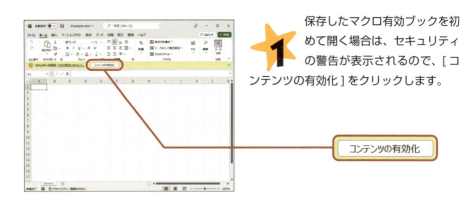

保存したマクロ有効ブックを初めて開く場合は、セキュリティの警告が表示されるので、[コンテンツの有効化]をクリックします。

プログラム記述までの流れ（まとめ）

長々と説明しましたが、最初にセキュリティなどの設定をしてしまえば、プログラムを記述する流れは以下の3ステップだけです。

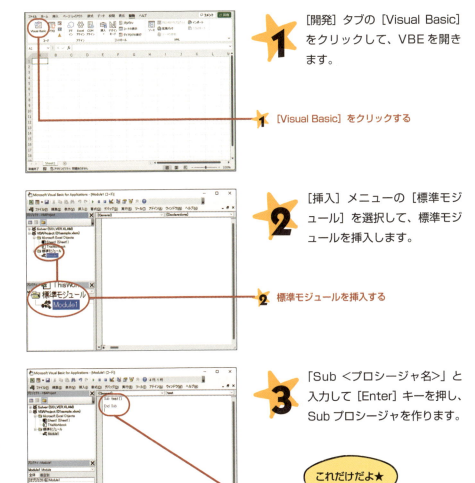

Section 03 いろんなモノ（オブジェクト）の呼び方

Section 03 では、Excel のファイルやシートという言葉が Excel VBA では何という単語になるのかを説明します。

オブジェクト

　皆さんは、ふだん Excel を使うとき、ファイル、シート、範囲などの言葉を使うと思います。それらの"モノ"をプログラムの中では次のように呼びます。

アプリケーション	➡アプリケーション (Application)
ファイル	➡ワークブック (Workbook)
シート	➡ワークシート (Worksheet)
範囲	➡レンジ (Range)
グラフ	➡チャート (Chart)

　ファイルを Workbook と呼ぶこと以外は英語にしただけなので、覚えやすいと思います。これらの"モノ"を総称して**オブジェクト**といいます。

オブジェクトはモノなり

40

コレクション

オブジェクトの集合体を**コレクション**といいます。**Worksheet**は**オブジェクト**で、**Worksheets**は**コレクション**です。**コレクション**という言葉は知らなくても、プログラムは書けますが、**Worksheet**と**Worksheets**は使い分けなければいけません。

実際の使い方は3章のSection 06で説明します。

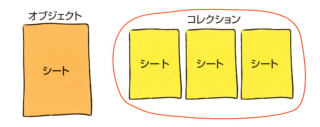

コレクションは複数のモノなり

プログラム中でのセルの数え方

プログラムの中でセルは○**行目の**○**列目のセル**（○は1、2、3、…）と指定します。図のように、シートの横方向のセルの塊が**行**、縦方向のセルの塊が**列**です。

プログラム中でセルは次のように表現します。

```
Cells(行,列)
```
書式

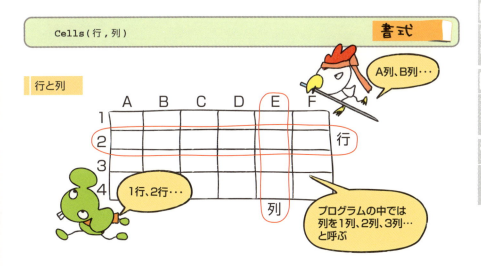

行と列

プログラムの中でのオブジェクトの表記方法

"test.xlsx"というワークブックの、"Sheet1"というワークシートの2行1列目のセルは、次のように表記します（WorkbookではなくWorkbooksなどとsが付いているので注意してください）。

```
Workbooks("test.xlsx").Worksheets("Sheet1").Cells(2,1)
```
└─ 2行、1列を示す

「.」（ドットまたはピリオド）は「の」または「を」を意味すると思ってください。

```
Workbooks("test.xlsx").Worksheets("Sheet1").Delete
```
ワークブック (test.xlsx)「の」─┘   └─ "Sheet1"「を」

これは、「Workbooks("test.xlsx")のWorksheets("Sheet1")」をDelete（削除）するという意味です。

ワークシートの指定は

```
Worksheets("Sheet1")                              書式
```

というように、名前で指定することもできますし、

```
Worksheets(1)                                      書式
```

と数字で指定することもできます。

数字で指定した場合は、一番左にあるワークシートがWorksheets(1)です。左から順番に1、2、3、…となります。

ちなみに、プログラムが書かれているWorkbookをThisWorkbookと呼び、

```
ThisWorkbook.Worksheets("Sheet1").Cells(2,1)
```

のように表現することもできます。

プロパティとメソッド

　オブジェクトやコレクションには様々な**プロパティ**(属性)があり、プロパティを設定することでオブジェクトの状態を変えることができます。
　例えば皆さんは、Excelを使うときに「フォントの色」を変更したことがあると思います。この場合の**色**が**プロパティ**にあたります。

```
Font.Color    ← FontのColor
```

　また、オブジェクトやコレクションを操作する場合には**メソッド**を実行します。
「シートを削除する」場合の「削除する」が**メソッド**です。

```
Worksheets(1).Delete    ← Worksheets(1)をDeleteする
```

　プロパティやメソッドの使用例は5章で説明します。

Chapter 3

VBA の基本文法を覚えよう

Section 01　手順化
● 手作業を手順化　　● プログラムへ変換

Section 02　変数と代入
● 変数とは　　　　　● 代入とは
● データ型　　　　　● 変数の宣言
● 文字列

Section 03　条件分岐
● 条件分岐とは　　　● If文

Section 04　繰り返し
● 繰り返しとは　　　● For文
● カウンター変数　　● カウンター変数の開始値
● カウンター変数をうまく使うことが肝！
● 二重構造のFor文

Section 05　演算子
● 算術演算子　　　　● 比較演算子
● 論理演算子

Section 06　プログラムを簡潔にするための文法
● オブジェクト変数　● With文
● インデント　　　　● コメント

Section 07　基本文法の演習
- 演習1　セルの値を入れ替える
- 演習2　最大値を求める
- 演習3　偶数と奇数を判断する
- 演習4　席番号を記入する
- 演習5　身長と体重からBMIを求める
- 演習6　データを違うシートに転記する

この章でマスターすること

　3章では、Excel VBAで「これだけは知っておきたい基本文法」を説明します。これだけ知っておけばかなりのことは実現可能です。基本文法は、本章を読んで必ず「使える」ようになりましょう！

　最初に言っておきますが、プログラムの基本は「代入」「条件分岐」「繰り返し」の3つです。プログラミング言語が変わると書き方も少し変わりますが、この3つの基本さえできていれば、どんな言語にも対応できます。

　VBAでは「条件分岐」や「繰り返し」の文法（表現方法）がいくつかありますが、この3つの基本を理解して使えるようになるために、3章で説明する文法は最小限にとどめてあります。その他の文法は6章の応用文法で説明します。応用文法は、複雑な処理をする場合に「この文法を使った方が作りやすいよ」というものです。本章で説明する基本文法とExcelのシートをうまく使えば、応用文法を使わずにプログラムを書くことも可能です。

❌ Excel VBA 必須用語 ❌	❌ ステップアップ用語 ❌
変数　　If文 代入　　For文	オブジェクト変数

Section 01 手順化

プログラムを作るには、やりたいことを手順化する必要があります。まず、Excel での手作業を手順として整理して、手順化する目を養いましょう。

手作業を手順化

　この章の冒頭で紹介した3つの基本（代入・条件分岐・繰り返し）を具体的に理解するために、次の例で考えてみましょう。

　A列に受験者名、B列に国語のテストの点数、C列に英語のテストの点数が入っているとします。

　国語と英語のテストの合計点が基準点（160点）より高い場合、D列のセルに「合格」という文字を入れる、という処理を1行目から10行目まで行います。

　Excelの関数を使えばすぐできてしまいますが、これを手作業で行うことを考えましょう。

　まず、この処理を手順化してみると、次のように書くことができます。

❶160を基準点として頭の中に記憶する。
❷1行目のB列の値90を国語の点として頭の中に記憶する。
❸1行目のC列の値82を英語の点として頭の中に記憶する。
❹記憶している国語の点(90)と英語の点(82)を足した値(172)を、合計点として記憶する。
❺記憶している合計点(172)が基準点(160)より高いなら❻、そうでなければ❼へ進む。
❻D列に「合格」と記入する。
❼次の行に対して❷～❻を繰り返す。

> まずは手順化すべし

この手順を3つの基本と対応させてみます。

- ❶❷❸❹❻ ➡ 代入
- ❺   ➡ 条件分岐
- ❼   ➡ 繰り返し

これをVBAの文法に従って記述すれば、コンピューターが自動的にこの処理を行ってくれます。

> 変換すればプログラムなり

プログラムへ変換

　実際に先ほどのワークシートが作成されたブックのVBEで「標準モジュール」を追加し、本章で説明する規則に従って書いたプログラムが下記のようなものです。文法はあとで詳しく説明しますが、使われている単語を見てください。1章で説明したように**"超" 簡単な英語**ばかりですよね？

　「'」で始まる緑色の文字は「コメント」と呼ばれるもので、ソースコードの説明のためのものです（ソースコードとして実行されることはありません）。

▼合格判定の例（chap03/Section01.xlsm）

```
Sub 合格判定()
    Dim 基準点 As Integer    ' 合格の基準点を代入するための変数
    Dim 国語 As Integer      ' 国語の点数を代入するための変数
    Dim 英語 As Integer      ' 英語の点数を代入するための変数
    Dim 合計点 As Integer    ' 合計点を代入するための変数
    Dim i As Integer         ' カウンター変数
        ' 基準点に160を代入する
    基準点 = 160 '                                                    ❶
        ' カウンター変数の値が1から10になるまで10回繰り返す
    For i = 1 To 10'                                                  ❼
        ' 国語の点数が格納されたセル（1～10行, 2列）の値を代入
        国語 = ThisWorkbook.Worksheets("テスト").Cells(i, 2) '        ❷
        ' 英語の点数が格納されたセル（1～10行, 3列）の値を代入
        英語 = ThisWorkbook.Worksheets("テスト").Cells(i, 3) '        ❸
        ' 受験者ごとの合計点を求める
        合計点 = 国語 + 英語'                                         ❹
        ' 受験者の合計点が基準点を超えているかを判定
        If 合計点 > 基準点 Then '                                     ❺
            ' 基準点を超えている場合は対象の受験者の行（i）、4列目の
            ' セルに"合格"の文字列を代入する
            ThisWorkbook.Worksheets("テスト").Cells(i, 4) = "合格" '  ❻
        End If
    Next i
End Sub
```

Section 02 変数と代入

Section 02 では、3つの基本のうち1つ目の『代入』について説明します。Section 01 で手順化した作業の例を使って、『代入』を理解しましょう。

変数とは

代入を説明する前に**変数**の説明をしておきます。

皆さんはふだん、様々なことを記憶していると思います。しかし、いろんなことを記憶しても、その記憶した数字や文字が何を意味するのかわからなければ、記憶した意味がありません。そこで、記憶するときは、

> ○○**として記憶する**

というように、記憶する項目についての名前を付けますよね？
この○○が変数です。

Section 01 の合格判定のプログラムでいうと、基準点、国語、英語、合計点というのが変数です。

基準点、国語、英語、合計点という名前（変数名）の変数なのです。

VBAの変数名は、英語でも日本語でもどちらでもかまいません。

ほかのプログラミング言語に慣れている人の中には「変数名が日本語とは何事だ！」という人もいますし、「日本人なんだから、日本語の変数名の方がわかりやすい」という人もいます。

要するに好みです。本書では少しでもわかりやすくするために、変数名はほとんど日本語にしてあります。

変数とは記憶項目なり

代入とは

さて、次は**代入**です。

> **Point**
> 代入とは、変数やセルに値を入れることです。

この代入にはルールがあります。

> ● 代入には＝（イコール）を使う
> ● 右辺から左辺に代入される

というルールです。

「基準点 ＝ 160」という記述は、右辺の 160 という数字を左辺の基準点という変数に代入しています。

> **Point**
> 左辺＝右辺は、左辺←右辺と覚えておきましょう。

代入

もともとある変数に値が入っていても、その変数に値を新たに代入すると、変数の値は書き換えられます。

また、セルに値を代入するときも、**左辺←右辺**のルールは同じです。

```
' 基準点を超えている場合は対象の受験者の行(i)、
' 4列目のセルに"合格"の文字列を代入
ThisWorkbook.Worksheets("テスト").Cells(i, 4) = "合格"
```

「代入は3つの基本の1つっていうけど、簡単じゃん!」と思った方もおられるでしょう。

書き方は簡単なのですが、どこで代入するかということで混乱する人が多くいます。これは、あとで述べる繰り返しなどと関係してくるのですが、代入を3つの基本の1つに挙げた理由として、

> どのような変数を準備して、どこで代入するか?

ということが非常に大事だからです。

「どのような変数を準備して、どこで代入するか?」ということに着目しながら、プログラム例や演習の正解例を見るようにしてください。

データ型

変数については理解していただけたと思います。実はその変数には、整数を代入するための変数、文字を代入するための変数など、いろいろな種類があります。それは、整数、文字、実数、日付などいろいろな種類の値があるからです。

こうした「値の種類」のことを**データ型**といいます。

次ページの表に代表的なデータ型の種類を列挙しますが、とりあえずは、整数を代入するためのInteger型とLong型、実数（小数部分がある数値）を代入するためのDouble型、文字列を代入するためのString型、日付を代入するためのDate型を覚えておきましょう。

Integer型は-32,768 ～ 32,767 の範囲の整数しか扱えないので、100,000など、Integer型の範囲外にある整数を扱いたいときはLong型を使いましょう。

> 何でも代入できるVariant型というデータ型もありますが、整数を代入すべき場所で文字列を代入するといったプログラムミスをしてもエラーにならないので、予想と違う結果が出力された場合にミスをした場所を見つけにくい、という欠点もあります。できるだけ、必要に応じたデータ型を定義するようにしましょう。

データ型	記憶領域のサイズ	範囲
バイト型(Byte)	1バイト	0～255
ブール型(Boolean)	2バイト	真(True)または偽(False)
整数型(Integer)	2バイト	−32,768～32,767
長整数型(Long)	4バイト	−2,147,483,648～2,147,483,647
単精度浮動小数点型(Single)	4バイト	−3.402823E38～−1.401298E−45(負の値) 1.401298E−45～3.402823E38(正の値)
倍精度浮動小数点型(Double)	8バイト	−1.79769313486231E308～ −4.94065645841247E−324(負の値) 4.94065645841247E−324～ 1.79769313486232E308(正の値)
通貨型(Currency)	8バイト	−922,337,203,685,477.5808～ 922,337,203,685,477.5807
日付型(Date)	8バイト	西暦100年1月1日～西暦9999年12月31日
文字列型(String)(可変長)	10バイト+文字列の長さ	0～2GB
バリアント型(Variant)(数値の場合)	16バイト	倍精度浮動小数点型の範囲と同じ
バリアント型(Variant)(文字列の場合)	22バイト+文字列の長さ	可変長の文字列型の範囲と同じ

変数の宣言

「コンピューターはどうやって変数のデータ型を判別するの？」という疑問が生じますが、データ型はコンピューターが勝手に判断するのではなく、プログラム上に「**この変数は○○型ですよ**」と**宣言**するのです。

Section 01の合格判定のプログラムの冒頭の部分です。

▼変数の宣言部分

```
Sub 合格判定()
    Dim 基準点 As Integer     ←――Integer型の基準点という変数

    Dim 国語 As Integer       ←――Integer型の国語という変数

    Dim 英語 As Integer       ←――Integer型の英語という変数
```

```
    Dim 合計点 As Integer       ←——Integer 型の合計点という変数

    Dim i As Integer            ←——Integer 型の i という変数
    ……以下End Subの手前まで省略……
End Sub
```

変数の宣言方法は、

```
Dim   変数名   As   データ型
```
書式

です。

```
Dim 基準点 As Integer
```

　これは「基準点という変数はInteger型ですよ」つまり「基準点は整数を入れるための変数ですよ」と宣言しているのです。
　この宣言によって、プログラムという手順書を読んでいるコンピューターは、「ふむふむ、この変数は～型の変数だな」と理解できるのです。
　なお、宣言を省略した場合は、Variant型として扱われます。

人とPCの意思統一

文字列

データ型の1つに「文字列」を扱うString型というものがありました。

「文字列」という言葉は聞き慣れないと思いますが、"あ"という1文字だけでなく、"あいうえお"のように文字が連なっているものも含む、という意味で「列」という言葉を使っているだけです。「文字列」という難しそうな言葉を使っていますが、私たちがふだん使っている「文字」だと思ってください。

プログラム内で文字列を表記する場合は、

> B = "合格"

のように ""（ダブルクォーテーション）で囲みます。そうせずに次のように書くと、コンピューターが「合格という変数があるのか？」と混乱してしまうからです。

> B = 合格

文字列のルール

●文字列の連結

文字列を連結するには＆を使います。

> B = "合格" & "です"

と記述すると、変数Bには「合格です」という文字列が代入されます。

Section 03 条件分岐

Section 03 では、3 つの基本のうち 2 つ目の『条件分岐』について説明します。Section 02 と同様に、Section 01 で手順化した作業の例を使って、『条件分岐』を理解しましょう。

条件分岐とは

> **Point**
> 条件分岐とは、あなたが行っている判断や場合分けです。

　合格判定の手作業の例では、国語と英語の合計点が基準点より高いかそうでないかを判断して、高い場合は〜する、という場合分けを行いました。この判断と場合分けが条件分岐というものです。

　条件分岐の最も基本的な表現方法が **If 文**と呼ばれる文です。

　合格判定のプログラムでいうと、次の❺の部分です。

▼合格判定の例

```
Sub 合格判定()
    .
    .
    基準点 = 160         ←――❶基準点に160を代入
    For i = 1 To 10      ←❼For文（iが1〜10まで繰り返す）       点数を代入
        国語 = ThisWorkbook.Worksheets("テスト").Cells(i, 2)   ←❷
        英語 = ThisWorkbook.Worksheets("テスト").Cells(i, 3)   ←❸
        合計点 = 国語 + 英語    ←――❹合計点に国語と英語の点数の加算結果を代入
```

```
        If 合計点 > 基準点 Then      ←❺If文(合計点が基準点より大きかったら)
            ThisWorkbook.Worksheets("テスト").Cells(i, 4) = "合格"
        End If
    Next i                                        ❻セルに"合格"を代入
End Sub
```

If文

日本語で「もし〜だったら」を英語に訳すと次のようになります。

```
If 〜 Then
```

これが**If文**です。英語と異なるのは最後に「End If」が付くことです。**If文**では、ある条件を満たせば、If〜End Ifの間にある処理が実行されます。合格判定のプログラムでは、❺で「合計点 > 基準点」の条件を満たせば、❻の

```
ThisWorkbook.Worksheets("テスト").Cells(i, 4) = "合格"
```

が実行されます。

If文に関しては次の3つのパターンを覚えてください。

● パターン1　もし条件1を満たしたら処理1を行う

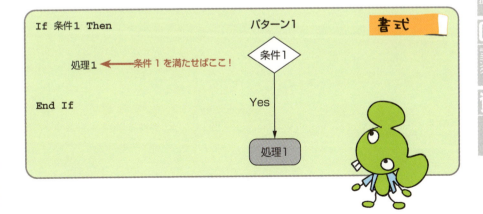

- パターン2　もし条件1を満たしたら処理1を行い、そうでない場合は処理2を行う

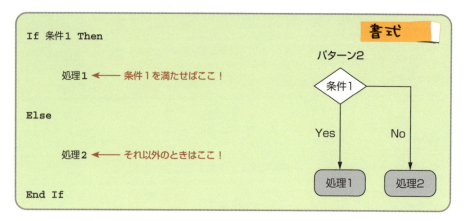

- パターン3　もし条件1を満たしたら処理1を行い、そうでなくて条件2を満たした場合は処理2を行い、どちらの条件にも当てはまらない場合は処理3を行う

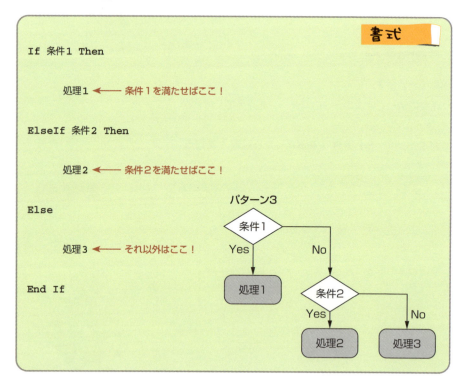

If文のパターン

パターン3のElseIfは、ほかにも条件があれば、次のようにいくつでもつなげることが可能です。

▼ ElseIf

```
If 条件1 Then
   処理1
ElseIf 条件2 Then
   処理2
ElseIf 条件3 Then
   処理3
   ・ ← ElseIfはいくつでもつなげられるよ！
   ・
End If
```

Section 04 繰り返し

Section 04 では、3つの基本のうち3つ目の『繰り返し』について説明します。Section 02, 03 と同様に、Section 01 で手順化した作業の例を使って、『繰り返し』を理解しましょう。

繰り返しとは

> **Point**
>
> **繰り返しとは、文字どおり同じようなことを繰り返すことです。**
>
> 繰り返し

　テストの合格判定の手作業の例で、Excel のシートの 1〜10 行目に対して同じ処理(❷〜❻)をしていました。これが「繰り返し」です。

　この同じ処理を繰り返すための仕組みが、合格判定のプログラムの❼の部分にあたり、**For文**と呼ばれる文です。

　この文法は、ちょっとわかりづらいかもしれません。

For 文

▼合格判定の例

For 文

For文は次のように記述します。

```
For 変数 = 開始値 to 終了値

    処理1

Next 変数
```
書式

　For文では、Forから始まりNextまで行くと、変数に1が足されてForに戻ります。その間に、For〜Nextの間に書かれている処理が実行されます。Forに戻った時点で変数が終了値を超えていたら、**For文**はおしまいです。

For 文の流れ

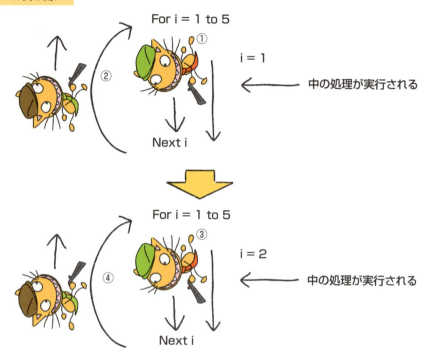

たとえるなら、For 文は長縄跳びみたいなものです。
　長縄跳びは「回し役」の人が縄をぐるぐる回し、縄の中で人が「跳ぶ」という行為を繰り返します。
　For 文は縄をぐるぐる回す「回し役」で、For～Next の中に記述されている処理が「跳ぶ」という行為だと思ってください。

● 長縄跳び
「回し役」が縄をぐるぐる回し、縄の中で「跳ぶ」という行為を繰り返す。

● For 文
For 文が流れをぐるぐる回し、For～Next の中で**処理**という行為を繰り返す。

カウンター変数

For文で使う変数を**カウンター変数**といいます。縄跳びをするときは、跳んだ回数を1回、2回、3回、…と数えますよね？

縄跳びで何回跳んだかを数えるように、**For文**でもいまが何回目の繰り返しかを数えます。その数を覚える変数が**カウンター変数**です。

カウンター変数といっても、ふつうの変数です。**For文**で1回、2回、3回、…とカウントするために使うので、**カウンター変数**と呼ぶだけです。

カウンター変数の開始値

混乱するかもしれませんが、**カウンター変数**は必ず1から始まるというわけではありません。開始値も終了値も次のように自分で指定できます。

```
For 変数 = 3 to 10
    処理1
Next 変数
```

開始値は1とは限らず

カウンター変数をうまく使うことがキモ！

繰り返しでは、**カウンター変数**をうまいこと使って処理をします。

例えば、3行目から10行目までの1列目のセルに "VBA" という文字列を入れたいとします。その場合は、**カウンター変数**の開始値を3、終了値を10にして、次のように3行目から10行目までの処理を行うことができます。

```
For i = 3 To 10
    ThisWorkbook.Worksheets("テスト").Cells(i, 1) = "VBA"
Next i
```

※ Cells(i, j) は、i行、j列のセルを表します。

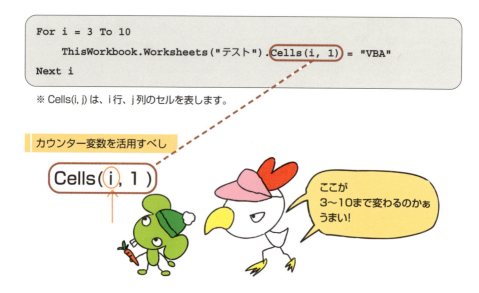

カウンター変数を活用すべし

Cells(i , 1)

ここが
3～10まで変わるのかぁ
うまい！

アドバイス

Step を使うと、**カウンター変数**を1ずつ足すのではなく、指定した数字だけ毎回足すようにできます。

```
For i = 3 To 10 Step 2
    ThisWorkbook.Worksheets("テスト").Cells(i, 1) = "VBA"
Next i
```

この場合、カウンター変数iは3➡5➡7➡9となり、1行おきに値が代入されます。なお、9の次は11となりますが、終了値の10を超えてしまっているため、For文の中の処理はされません。

```
For i = 10 To 3 Step -2
    ThisWorkbook.Worksheets("テスト").Cells(i, 1) = "VBA"
Next i
```

のように、カウンター変数を減らしていくこともできます。

二重構造の For 文

　繰り返しでわけがわからなくなるのが、この二重構造の繰り返しです。繰り返しの中でさらに繰り返しをするのです。でも、Excelのシート上の処理で考えるとすぐわかります。

●二重構造の繰り返しの例

　次ページの図のようなシートがあるとします。
　A～E列の1行目から10行目までにある「2」という数字を探し、「2」と記入されているセルの値を消す（空の文字列 "" を代入する）という処理をしてみましょう。

パッと見てすぐ見つけられるかもしれませんが、それは人間にしかできないので、コンピューターにもできるように、次のように手順化してみましょう。

❶ 1行目のA列（1列）のセルが2かどうかを判断する。
❷ 1行目のB列（2列）のセルが2かどうかを判断する。
❸ 1行目のC列（3列）のセルが2かどうかを判断する。
❹ 1行目のD列（4列）のセルが2かどうかを判断する。
❺ 1行目のE列（5列）のセルが2かどうかを判断する。
❻ ❶〜❺を2行目以降も10行目まで繰り返す。

この例では、For文の中に❶〜❺の処理を入れればいいということがわかります。
❶〜❻の手順をプログラムで書いてみると、次のようになります。

▼行だけの繰り返し（chap03/Section04.xlsm）

```
For i = 1 To 10

    If ThisWorkbook.Worksheets(1).Cells(i, 1) = 2 Then    ←❶判断
        ThisWorkbook.Worksheets(1).Cells(i, 1) = ""
    End If
    If ThisWorkbook.Worksheets(1).Cells(i, 2) = 2 Then    ←❷判断
        ThisWorkbook.Worksheets(1).Cells(i, 2) = ""
    End If
    If ThisWorkbook.Worksheets(1).Cells(i, 3) = 2 Then    ←❸判断
        ThisWorkbook.Worksheets(1).Cells(i, 3) = ""
    End If
    If ThisWorkbook.Worksheets(1).Cells(i, 4) = 2 Then    ←❹判断
        ThisWorkbook.Worksheets(1).Cells(i, 4) = ""
    End If
```

❻ 1〜10行目まで繰り返す

```
        If ThisWorkbook.Worksheets(1).Cells(i, 5) = 2 Then    ←❺判断
            ThisWorkbook.Worksheets(1).Cells(i, 5) = ""
        End If
    Next i
```

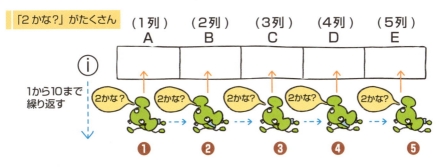

しかし、繰り返すという言葉をもう1回使って、違う形で手順化することもできます。

❶ 1行目のA列のセルが2かどうかを判断する。
❷ ❶の処理をB列以降もE列まで繰り返す。
❸ ❶〜❷を2行目以降も10行目まで繰り返す。

この手順では❷もFor文だということがわかります。❷のFor文の中に❶の処理があるのです。また、❸もFor文です。❸のFor文の中に❷のFor文があり、その中に❶の処理があるのです。❶〜❸の手順をプログラムで書くと次のようになります。

▼行と列の繰り返し（chap03/Section04_2.xlsm）

```
    For i = 1 To 10
        For j = 1 To 5
            If ThisWorkbook.Worksheets(1).Cells(i, j) = 2 Then
                ThisWorkbook.Worksheets(1).Cells(i, j) = ""
            End If
        Next j
    Next i
```

カウンター変数であるiとjを、行と列を指定するため、次のように使用することによって、シート上の行と列を巡回することができます。

```
Cells(i, j)
```

　Excelには行と列が存在するので、Excel VBAでは二重構造のFor文が必ず必要になります。ぜひ、いまのうちに理解しておきましょう。

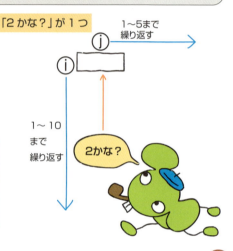

Point

条件分岐や繰り返しなどの文を、プログラムを制御する文という意味で、制御文といいます。

COLUMN　繰り返しと改善

　世の中には様々な作業があります。その中には繰り返しの作業もたくさんあります。

　「繰り返し」とは、まったく同じじゃなくても同じような作業を繰り返すことです。

　実はこの"繰り返し"が作業改善のポイントとなります。なぜなら、毎回繰り返すことを改善すれば、その効果は徐々に積み重なり、大きな効果となるからです。そのため、"繰り返しを見つける力"は作業改善を行うための能力の1つになります。

　実は、この能力はプログラムを作るときも必要になります。なぜなら、コンピューターは繰り返しが大得意だからです。For文を使ってコンピューターに繰り返しをさせることで、人間の繰り返し作業は低減します。皆さんも自分の仕事の"繰り返しを見つける力"を身に付けましょう！

Section 05 演算子

Section 05 では、計算や条件分岐で使う『演算子』について説明します。『演算子』というと難しそうですが、ただの『記号』です。そして、ただの算数です。

算術演算子

算術演算子とは、「＋」とか「－」などの記号のことです。ふつうの算数とだいたい同じですが、ちょっと違う演算子もあるので説明しておきます。

まず、掛け算がちょっと違います。算数だと「×」ですが、VBAだと「＊」です。べき乗、余りなども計算できるということを覚えておくとよいでしょう。

算術演算子	演算子の意味	使用例	aの値
＋	足し算	a＝9＋2	11
－	引き算	a＝9－2	7
＊	掛け算	a＝9＊2	18
／	割り算	a＝9／2	4.5
＾	べき乗	a＝9＾2	81
￥	割り算（結果が整数）	a＝9￥2	4
Mod	余り	a＝9 Mod 2	1

比較演算子

比較演算子とは、数字の大小を比較する「＜」のような記号です。If文の条件でよく使います。比較演算子も算術演算子と同様に算数とほとんど一緒ですが、ほんの少しだけ違います。算数だと「≦」という書き方をしますが、VBAでは「＜」の下に「＝」は付けられないので、「＜＝」という表現になります。

比較演算子	説明	比較演算子	説明
＝	左辺と右辺が等しい	＞	左辺が右辺より大きい
＜＞	左辺と右辺が異なる	＜＝	左辺が右辺以下
＜	左辺が右辺より小さい	＞＝	左辺が右辺以上

69

論理演算子

論理演算子とは、If文の条件で「And(かつ)」や「Or(または)」のように、条件を組み合わせて使う場合に使用する単語です。

例えば、社員データで「勤続年数が6年以上10年未満」の条件に適合する社員を抽出することを考えてみましょう。

比較演算子を使って、算数や数学で記述したのと同じように、

> 6 <= 勤続年数 < 10

と考えてしまいがちなのですが、プログラムの中ではこのような記述はできません。

この場合は、

- 勤続年数が6年以上
- 勤続年数が10年未満

という2つの条件の合わせ技と考えて、次のように記述します。この場合の「And」が論理演算子です。

> 6 <= 勤続年数 And 勤続年数 < 10

論理演算子は6つありますが、次の3つを知っておけば十分です。

Point

AndとOrは必ず覚えましょう。

論理演算子	説明
And	かつ
Or	または
Not	でない

Section 06 プログラムを簡潔にするための文法

Section 06 では、プログラムを簡潔にするための文法を勉強します。これは決して基本文法ではないのですが、プログラムがごちゃごちゃしていると読む気も失せてしまいます。最初に勉強しておいて、プログラムをすんなり読めるようにしておきましょう。

オブジェクト変数

　Section 01の合格判定のプログラムでは、「ThisWorkbook.Worksheets("テスト")」という表記が何度も出てきました。これってタイピングするのは結構面倒ですよね？　これを何か簡単な文字に置き換えたいと思いませんか？

　実は置き換えられます。Section 02で変数というものをすでに勉強しましたが、それに似たもので**オブジェクト変数**というのがあります。

　オブジェクト変数とは、WorkbookやWorksheetなどのオブジェクトを入れるための変数です。オブジェクト変数へのオブジェクトの代入は、次のように記述します。

> 書式
>
> Set　オブジェクト変数　=　オブジェクト

　ふつうの変数への代入と違うのは**Set**が必要なことだけです。

　次の例では、sというオブジェクト変数に「ThisWorkbook.Worksheets("テスト")」というオブジェクトを代入しています。

長い文は書きたくない

こんな長文をたくさん書くのはイヤ〜！

▼オブジェクト変数への代入例

```
Dim s As Worksheet
Set s = ThisWorkbook.Worksheets("テスト")
```

「ThisWorkbook.Worksheets("テスト")」をオブジェクト変数sとして記憶してしまえば、そのあとは、sを「ThisWorkbook.Worksheets("テスト")」の代わりに使用できます。

オブジェクト変数を使うとプログラムは次のようになり、文字数が減って見やすくなりますし、プログラムを書くときに楽チンです。

▼オブジェクト変数を使ったプログラム（chap03/Section06.xlsm）

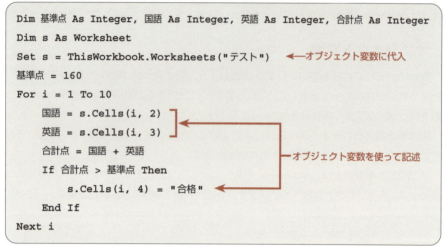

また、シート名が変更になった場合は、次の「"テスト"」の部分だけを修正すればよいので、プログラムの修正も簡単になります。

オブジェクト変数

```
Dim s As Worksheet
Set s = ThisWorkbook.Worksheets("テスト")
```

　宣言ではWorksheetなのに、プログラム中でWorksheetを指定するときは「Worksheets("テスト")」のように「s」が付いて複数形になります。これは、2章で説明したコレクションというものです。
　オブジェクト変数のsは1つのWorksheetを指すのですが、Worksheetを1つ指定する場合、複数あるWorksheet（Worksheets）の中から"テスト"というWorksheetを1つ指定する、と考えると覚えやすいでしょう。

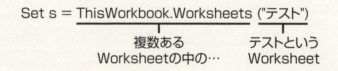

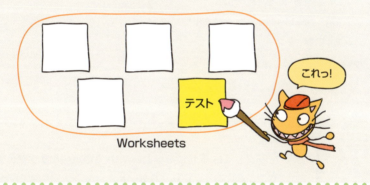

With文

　With文を使えばオブジェクト変数すら省略でき、入力の手間をさらに減らすことができます。With文は次のように記述します。

```
With オブジェクト変数
    .Cells(i, 1)
End With
```

With オブジェクト変数～End Withの間で、ドット（.）が記述されると、自動的に、その前にWithで指定したオブジェクト変数があると見なされ、次と同じ意味になります。

```
オブジェクト変数.Cells(i, 1)
```

▼ With 文の使用例（chap03/Section06_2.xlsm）

```
Dim 基準点 As Integer, 国語 As Integer, 英語 As Integer, 合計点 As Integer
Dim s As Worksheet
Set s = ThisWorkbook.Worksheets("テスト")
With s
    基準点 = 160
    For i = 1 To 10
        国語 = .Cells(i, 2)        ←┐
        英語 = .Cells(i, 3)        ←┤
        合計点 = 国語 + 英語              ├ s を省略
        If 合計点 > 基準点 Then
            .Cells(i, 4) = "合格"   ←┘
        End If
    Next i
End With
```

ドット（.）を付けないと、withで指定したオブジェクト変数が前にあると見なされないよ！

インデント

文法ではないのですが、プログラムを書く際は、プログラムを見やすくするために、Tabキーでプログラムの各行を書き出す位置を調節しましょう。

Point

プログラムはWith文、For文、If文などのブロックごとに、書き出す位置をそろえて見やすくしておきましょう。

前ページのWith文のプログラム例と次のプログラムを見比べてください。

内容は同じなのですが、すべての文が左端から書き出されていると、With文、For文、If文がどこからどこまでなのか、わかりづらくなります。

▼わかりづらいプログラム

```
Dim s As Worksheet
Set s = ThisWorkbook.Worksheets("テスト")
With s
For i = 1 To 10
国語 = .Cells(i, 2)
英語 = .Cells(i, 3)
合計点 = 国語 + 英語
If 合計点 > 基準点 Then
.Cells(i, 4) = "合格"
End If
Next i
End With
```

わかりづらい

コメント

プログラム中には、できるだけコメント（注釈）を書くようにしましょう。例えば、次のように書いてあると、あとで見直しても「このIf文は合格判定をしているんだな」ということがすぐにわかります。

```
' 合格かどうかの判定
If 合計点 > 基準点 Then
    .Cells(i, 4) = "合格"
End If
```

ここだよ！

チューイ

文の前にシングルクォーテーション（'）を付けると、その文はプログラムとしては扱われません。コメントを書く場合は、文の前にシングルクォーテーションを必ず付けましょう。そうしないと、コンピューターが「これはプログラムかな？　でも、VBAの文法に従ってないから理解できないぞ？」と困って、エラーが発生してしまいます。

Section 07 基本文法の演習

基本文法を使って実際にプログラムを作ってみましょう。3章で学んだことで、ちょっと考えればできる問題を用意しています。わからなかったら、正解例を見て「ほぉ〜」と納得してください（正解は本文212ページ）。

演習1　セルの値を入れ替える　　　　　　　　　ヒント▶代入

演習1シートの(1,1)のセルの値と(1,2)のセル値を入れ替えるプログラムを作りなさい。

演習2　最大値を求める　　　　　　　ヒント▶代入、条件分岐、繰り返し

演習2シートの(2,1)〜(40,1)の中から最大値を求め、最大値を(2,2)に記入するプログラムを作りなさい。

演習3　偶数と奇数を判断する　　　ヒント▶条件分岐、繰り返し、算術演算子

演習3シートの(2,1)～(40,1)の値が偶数か奇数かを判断し、(2,2)～(40,2)に偶数の場合は"偶数"と記入、奇数の場合は"奇数"と記入するプログラムを作りなさい（2で割った余りが0だったら偶数、2で割った余りが1だったら奇数です）。

演習4　席番号を記入する　　　ヒント▶代入、繰り返し

ある教室の席が10行5列あるとします。演習4シートの10行5列のセルを席に見立てて、1～50の数字を図のように記入するプログラムを作りなさい。

演習 5　身長と体重から BMI を求める　　　ヒント▶データ型、繰り返し

演習 5 シートの (2,1)〜(40,1) に記入されている身長と、(2,2)〜(40,2) に記入されている体重から BMI※ を計算して、(2,3)〜(40,3) に記入し、BMI の数値によって次のように記入するプログラムを作りなさい。

BMI 数値	判定
18.5 未満の場合	やせ
18.5 以上 25 未満	標準
25 以上 30 未満	肥満
30 以上	高度肥満

なお、BMI の計算方法は次のようになります。

$$体重(kg) / 身長(m)^2$$

身長と体重からBMIを計算し、判定

演習 6　データを違うシートに転記する　　　ヒント▶繰り返し

演習 6 シートの (1,1)〜(40,2) の範囲のセルの値を、コピー先シートに転記するプログラムを作りなさい。

※ BMI　肥満の判定方法の一種。Body Mass Index の略。

★応用編★

応用編は複雑な処理をするためのお勉強です。
4章 Section 01 は大事なので読んでおいてね！
それ以降、難しかったら6章まで読み飛ばして7章に進もう！

Chapter 4 関数と配列の基本

Section 01　関数入門
- 関数とは　　● 引数と戻り値　　● VBA関数の使い方

Section 02　ユーザー定義関数
- ユーザー定義関数とは
- Functionプロシージャ
- ユーザー定義関数の呼び出し方
- 戻り値の返し方　　● 変数の有効範囲
- 引数の上書きに注意!
- 値渡しと参照渡し(ByValとByRef)

Section 03　配列
- 配列とは　　　　● 配列の宣言方法
- 添え字と要素数　● ReDimで再定義

Section 04　関数と配列の演習
- 演習1　携帯電話の料金計算
- 演習2　データの順序を逆にする

この章でマスターすること

　4章では関数と配列について説明します。
　Excelには関数（ワークシート関数）というものがあります。ワークシート関数は合計値や平均値を求めるときによく使うと思います。
　実はExcel VBAにもVBA専用の関数（VBA関数）というものがあり、さらには関数というものは自分でも作れます（ユーザー定義関数）。
　多くの人は、ユーザー定義関数の勉強で混乱し、つまずいてしまいます。そこで、4章ではExcel既存のワークシート関数やVBA関数で関数の概念を勉強したあとに、ユーザー定義関数の勉強をします。また配列も、関数と同じように様々なプログラミング言語の学習で"つまずきポイント"になってしまっています。
　4章では、**プログラミング学習の最初の2大つまずきポイント**を勉強しますので、心してかかってください（^O^ノ）

⊗Excel VBA 必須用語⊗

ワークシート関数
VBA 関数
ユーザー定義関数
配列

⊗ ステップアップ用語 ⊗

ReDim
Public

Section 01 関数入門

Section 01 では関数について説明します。関数は便利な専門家です。関数を使いこなせるようになると、プログラムをきれいに記述でき、プログラムを作る効率が向上します。

関数とは

関数とは**便利な専門家**です。皆さんも、Excelで手作業の処理をするときに、合計値を求めるSUMや平均値を求めるAVERAGEなどの、Excelの関数（ワークシート関数）を使ったことがあると思います。

Excelというアプリケーションには、**合計値を求めるSUMという専門家**や**平均値を求めるAVERAGEという専門家**がいて、その専門家に合計値や平均値を求めてもらっているのです。SUMやAVERAGEはよく使う機能ですが、ほかの関数もあると便利な機能ばかりです。そのような処理には**専門家**を作って任せてしまえば、その都度、いろいろな計算をしなくてよいのでとても便利です。

関数とは専門家なり

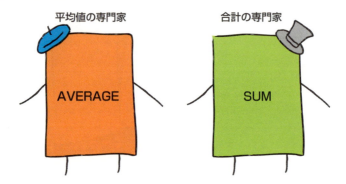

引数と戻り値

そこで、ちょっと関数というものを客観的に見てみましょう。関数を使うとき、関数に何かを渡していませんか？ SUMやAVERAGEは"ある範囲"の合計値や平均値を求める専門家です。つまり、SUMやAVERAGEに範囲を渡すと、**合計値**、**平均値**があなたに返ってくるのです。

> **Point**
> 専門家（関数）に渡す値を引数（ひきすう）といいます。

> **Point**
> 専門家（関数）から返ってくる値を戻り値（もどりち）といいます。

引数と**戻り値**という言葉は、このあとも使うので覚えてください。

引数と戻り値

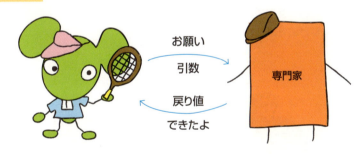

VBA関数の使い方

それでは、関数の使い方について説明します。まずはわかりやすいように、既存のVBA関数を使って関数の使い方を説明します。

VBA関数とは、VBAというプログラミング言語の中に用意されている関数で、皆さんがふだんExcelで使っている、SUMやAVERAGEといった関数（ワークシート関数）とは別物です。ワークシート関数が**シート上での専門家**だとしたら、VBA関数は**プログラム上の専門家**だと思ってください。

専門家の活躍の場

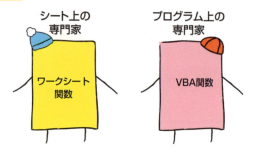

VBA関数の一例として、文字列の文字数を教えてくれるLenという関数があります。その使い方を次に示します。

```
Dim a As Integer
a = Len("あいうえお")
```

この例では、aという変数に5という数字が代入されます。

つまり、Lenという**文字列の文字数を数える専門家**に**引数**として文字列を渡し、文字数という**戻り値**を受け取るのです。

Len 関数

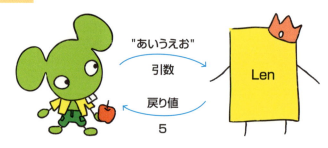

また、引数は1つだけというわけではありません。Midという関数は、文字列の中の指定した場所から何文字かだけ抜き出したいときに使う関数です。

例えば、"あいうえお"の2文字目から3文字を抜き出すと、"いうえ"です。

この場合、❶文字列、❷何文字目から、❸何文字、という３つの引数が必要となります。
引数が複数ある場合は、次のようにカンマ（,）で区切って関数に引数を渡します。aという変数には"いうえ"という文字列が代入されます。

```
Dim a As String
a = Mid("あいうえお", 2, 3)
```

引数の順番は決まっているので、順番は間違えないようにしましょう。

Point

引数が１つの場合：
　変数 = 関数名 (引数)

Point

引数が複数の場合：
　変数 = 関数名 (引数１, 引数２, …)

ここまでで、関数に引数を渡して戻り値を受け取る、という流れを理解していただけたと思います。

| Mid 関数

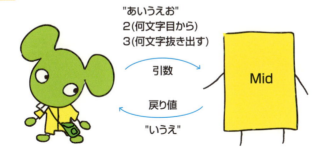

Section 02 ユーザー定義関数

Section 02ではユーザー定義関数について説明します。自分で関数を作れるようになれば、一人前です。関数を使って書かれたプログラムは非常にわかりやすいものです。皆さんも関数を自分で作れるようになりましょう！

ユーザー定義関数とは

　ユーザー定義関数とは、自分で作る関数です。
　自分で関数を作るということは、自分の作るプログラムの中で、よく使われる処理は関数という専門家に任せようということです。また、それができるということは、自分のプログラムを機能別に整理できているということでもあります。

機能別に整理すべし

Function プロシージャ

　2章で、プロシージャにはSubプロシージャとFunctionプロシージャがあると説明しました。
　Subプロシージャとして作ったプログラムにも、Functionプロシージャとして作ったプログラムにも、引数を渡せます。しかし、値を返せるのはFunctionプロシージャだけです。そのため、ユーザー定義関数を作るときは、値を返せるFunctionプロシージャを使用することになります。

Sub と Function の違い

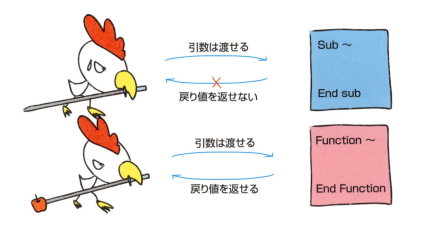

Function プロシージャは次のように記述します。

```
Function 関数名(引数1 As データ型, 引数2 As データ型, …) As 戻り値のデータ型
    :
    関数名=戻り値
End Function
```

書式

引数や戻り値のデータ型は省略してもかまいません。データ型を省略するとVariant型として扱われます。

ユーザー定義関数の呼び出し方

関数を呼び出すときは次のように記述します。

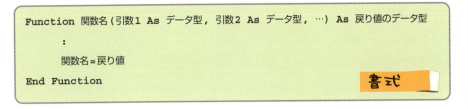

このようにすることで関数が呼び出され、戻り値が変数に代入されます。呼び出し方はVBA関数と同じです。

戻り値の返し方

　Functionプロシージャの中で、どうやって戻り値を返す処理をするかというと、次のように、返したい値をFunctionプロシージャ内で関数名に代入します。
　そうすることで、呼び出した側に戻り値を返せます。

> **書式**
> ```
> Function 関数名() As 戻り値のデータ型
>     :
>     関数名＝返したい値〔戻り値〕
> End Function
> ```

▼ユーザー定義関数の使用例（chap04/Section02.xlsm の「Module1」）

```
' マクロ
Sub テスト結果()
    Dim 結果 As String
    結果 = 判定(100, 50)
    MsgBox (結果)
End Sub

' ユーザー定義関数
Function 判定(国語 As Integer, 英語 As Integer) As String
    Dim 合計点 As Integer
    Dim 合否 As String
    Dim 基準点 As Integer
    基準点 = 160
    合計点 = 国語 + 英語
    If 合計点 > 基準点 Then
        合否 = "合格"
    Else
        合否 = "不合格"
    End If
    判定 = 合否    ← 値を戻す
End Function
```

関数名＝返したい値

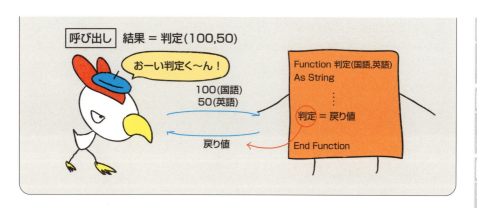

「戻り値を返すために、返したい値をなぜ関数名に代入するのか？」というところが、ちょっとイメージしづらいと思いますが、次のように考えてください。

```
a ＝ 関数名（引数１，引数２，…）
```

ここでは、変数 a に関数からの戻り値が代入されますが、次のように、その前に「関数名自体に値を代入する」とイメージすれば、わかりやすいでしょう。

$$\underset{\text{代入}}{\downarrow}\ \underset{\text{代入}}{\downarrow}$$
a ＝ 関数名（引数１，引数２，…）＝ 戻したい値

変数の有効範囲

　さて、関数などを使って１つのモジュールにいくつものプロシージャを作ると、「変数ってどの範囲で使えるの？」という疑問が生じます。
　例えば、次ページの例を見てください。
　「メイン」プロシージャの中にある「a」という変数と、「足し算」プロシージャの中にある「a」という変数は、同じ名前の変数です。「これってありなの？」って思いませんか？

答えは「あり」です。この場合、変数はプロシージャの中でしか有効ではないので、「メイン」プロシージャと「足し算」プロシージャの「a」という変数は、まったく別物として扱われます。

▼このプログラムは「あり？」

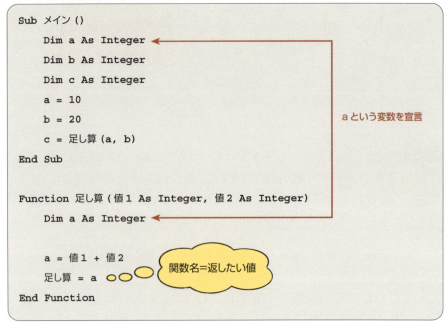

変数の有効範囲については、次の3パターンを覚えておきましょう。

> **Point**
> - **プロシージャ内で有効な変数**は、**プロシージャの中**で宣言します。
> - **モジュール内で有効な変数**は、プロシージャの中ではなく、**モジュールの一番上**で宣言しましょう。
> - **プロジェクト※内のどこでも有効な変数**は、プロシージャの中ではなく、モジュールの一番上で、DimではなくPublicと付けて宣言しましょう。

変数の有効範囲を広げると確かに便利なこともありますが、わけがわからなくなることが多々あります。初心者のうちは引数を使った値のやり取りがうまくできず、ついつい変数の有効範囲を広げがちですが、変数の有効範囲はできるだけ狭くしておきましょう。

※**プロジェクト**　そのファイルのプログラム全体のこと。

変数の有効範囲

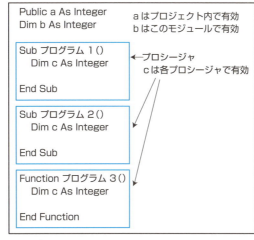

その方が、どこで値が変わっているかわかりやすいですし、カウンター変数でよく使うiやjという変数名も、何回も使えます。

広ければ、把握するのは難しい

引数の上書きに注意！

有効範囲の話をしましたが、気を付けていただきたいことがあります。それは**引数**です。次の例を見てください。

▼引数の上書きの例（chap04/Section02_2.xlsm の「Module1」）

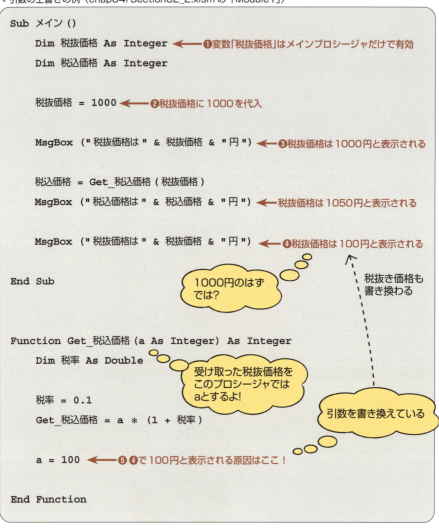

実行結果

「メイン」プロシージャ内の❶で「税抜価格」という変数を宣言します。
　プロシージャ内で宣言しているので、「税抜価格」は「メイン」プロシージャの中だけ有効です。

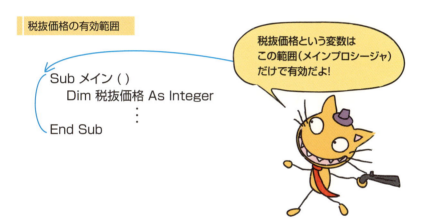

　❷で「1000」という値を「税抜価格」に代入します。そのあとはメインプロシージャ内で「税抜価格」に値は代入されていません。
　ということは、「メイン」プロシージャ内では「税抜価格」はずっと「1000」のはずです。
　❸では実際に「税抜価格」は「1000」です。
　しかし、❹では「税抜価格」は「100」となってしまっています。この原因は、関数である「Get_税込価格」プロシージャの❺の部分にあります。
　引数で受け取った「a」に「100」を代入しています。
　本来、❶で宣言した「税抜価格」は「メイン」プロシージャ内でしか値を書き換えられないのですが、「Get_税込価格」プロシージャに引数で渡して、「Get_税込価格」プロシージャで、

その引数に値を代入すると、「メイン」プロシージャ内の「税抜価格」という変数の値まで変わってしまいます。

宣言した変数には、先に説明した変数の有効範囲が適用されるのですが、ある変数を引数として他のプロシージャに渡して、渡した先のプロシージャでその引数に値を代入すると、呼び出し元のプロシージャの変数の値が変わってしまいます。注意してください。

この現象の原因を知るために、**値渡し**と**参照渡し**ということを説明しますが、ちょっと難しいので、自信のない人は次のことだけ覚えて、次ページからの**値渡し**と**参照渡し**の説明は読み飛ばしていただいてかまいません。

Point
引数は関数の中で書き換えてはいけない！

値渡しと参照渡し（ByVal と ByRef）

引数として違うプロシージャに引数を渡す場合の「渡し方」には、**値渡し**と**参照渡し**というものがあります。

プログラム上でコンピューターが何かを記憶するときには、**メモリ**という記憶装置に記憶します。メモリを"記憶するための脳"として考えます。メモリという脳では、記憶したものを整理整頓しやすいように番地を付けて、「何番地はxという変数用の番地ですよ」というように記憶されています。

メモリの番地

> **Point**
> - 値渡しは、値だけを引数として渡します。
> - 参照渡しは、変数に割り当てられた番地そのものを引数として渡します。

値渡しの引数として渡された変数は、変数に入っている値だけが渡されるので、呼び出し元のプロシージャの変数の値が変わってしまうことはありません。

しかし、**参照渡し**の引数として渡された引数に値を代入すると、渡された引数の番地の値を書き換えてしまうため、呼び出し元のプロシージャの変数の値も変わってしまいます。

> **Point**
> - 値渡し　　➡　値が変わらない
> - 参照渡し　➡　値が変わる

値渡しと参照渡し

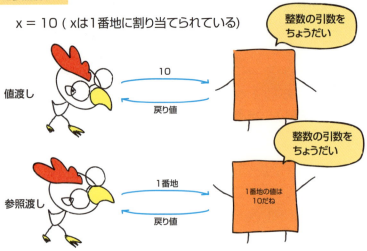

そこで、**値渡し**と**参照渡し**をどうやって区別するのか？　ということですが、引数を宣言するとき、引数の前に「ByVal」「ByRef」と書くことによって区別することができます。

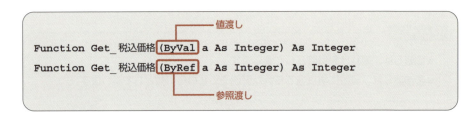

Point

「ByVal」が値渡し、「ByRef」が参照渡しです。

ByVal、ByRefを省略する場合は、ByRef（参照渡し）と見なされます。
　いままで説明してきた関数では、ByRef、ByValが省略されていたため、ByRef（参照渡し）と見なされます。
　そのため、ある変数を引数として渡されたプロシージャで引数に値を代入すると、呼び出し元の値が変わってしまうのです。

Section 03 配列

Section 03 では、関数と並ぶ"つまずきポイント"である配列について説明します。「覚悟してください！」と言いたいところですが、実は Excel VBA では、配列はめちゃくちゃイメージしやすいので安心してください。

配列とは

> **Point**
> 配列とは、見えない Worksheet みたいなものです。

ワークシートは 1,048,576 行 16,384 列と決まっているのですが、

> **Point**
> 配列は自分でサイズが決められます。

別に行列でなくても、行だけでもかまいません。

行だけの配列を **1 次元配列**、行と列がある配列を **2 次元配列**といいます。3、4 次元といった多次元配列も作れますが、混乱するので、だいたいは 2 次元配列までしか使いません。

ほかのプログラミング言語では、配列はかなりの"つまずきポイント"です。

それはワークシートがないからです。しかし、すでにワークシートへの値の代入を勉強しているので、Excel VBAの場合は、それほど難しく感じないと思います。

ワークシートをある程度までは配列の代用品として使えるので、はじめは配列の必要性を感じないかもしれません。しかし、複雑なプログラムを作るときは、配列代わりにワークシートを使っていると、ワークシートの数が多くなってしまい、配列を使った方が効率がいい場合もたくさんあります。しっかり使えるようにしましょう。

配列の宣言方法

配列は次のように宣言します。変数とほぼ同じですが、配列名のあとに行や列のサイズの記述があります。

```
Dim 配列名 ( 整数 To 整数 ) As データ型
Dim 配列名 ( 整数 To 整数 , 整数 To 整数 ) As データ型
```

```
Dim a(1 To 10) As Integer   ←――― 10行の1次元配列
Dim b(1 To 10, 1 To 3) As Integer   ←――― 10行、3列の2次元配列
```

添え字と要素数

配列に値を代入するには、

● 1次元配列の場合

```
a(2) = 1   ←――― 2行目に1を代入
```

● 2次元配列の場合

```
b(1, 2) = 10   ←――― 1行2列に10を代入
```

というように記述します。

特に2次元配列の場合、括弧の中の記述はセルの記述とまったく同じです。

> 配列の表記

また、配列の中の数字を**添え字**といいます。配列の行や列の数を**要素数**といいます。

配列を次のように宣言すると、添え字が0から指定した数字までの配列になります。

```
Dim  a(10)  As  Integer
```
← 添え字が0～10の1次元配列（要素数11）
　Dim a(0 To 10) As Integer と同じ

```
Dim  b(10, 3)  As  Integer
```
← 添え字が0～10、0～3の2次元配列（要素数11,4）
　Dim b(0 To 10, 0 To 3) As Integer と同じ

添え字が0から始まると、ワークシートの感覚と合わなくなってしまうので、慣れないうちは次のように記述することをおすすめします。

```
Dim  a(1 To 10)  As  Integer
```

次の例は、テストという名前のワークシートの1～10行目に記述してある点数を、「点数(1～10)」という配列に記憶する、というプログラムです。

▼配列を使ったプログラム

```
Dim i As Integer
Dim s As Worksheet
Dim 点数 (1 To 10) As Integer   ←—— 添え字が 1 ~ 10 の点数という配列


Set s = ThisWorkbook.Worksheets(" テスト ")


For i = 1 To 10
    点数 (i) = s.Cells(i, 1)   ←—— 点数という配列に値を代入
Next i
```

ReDim で再定義

　配列を使う際に配列の宣言を行いますが、宣言を行った時点では、配列の要素数が決まっていないことがあります。その場合、宣言したあとに配列の要素数がわかった時点で配列を再定義することができます。再定義はReDimを用いて次のように行います。

```
Dim a() As Integer
ReDim a(0 To 5)
```

書式

　ReDimで再定義する場合は、データ型の宣言を省略しても、はじめにDimで宣言したデータ型として扱われます。

```
Dim a() As Integer
ReDim a(0 To 5) As Integer
```

というように、もう一度データ型を宣言してもよいのですが、次のように、はじめにDimで宣言したデータ型をReDimで変更することはできません。

```
Dim a() As Integer
ReDim a(0 To 5) As String
```

あとまわし

先ほどの、テストの点数を「点数」という配列に記憶するプログラムを、ReDimを使って記述すると次のようになります。

▼ ReDim を使ったプログラム

```
Dim i As Integer
Dim 最終行 As Long
Dim s As Worksheet
Dim 点数() As Integer    ←― 配列の要素数は定義しない
Set s = ThisWorkbook.Worksheets("テスト")

最終行 = s.Cells(s.Rows.Count, 1).End(xlUp).Row    ←―❶
ReDim 点数(1 To 最終行)    ←―❷ ReDimで要素数を再定義

For i = 1 To 最終行
    点数(i) = s.Cells(i, 1)
    Next i
```

　何行までデータが入っているかわからない場合は、❶のようにデータが入っている最終行を求めてから、❷のように再定義することで、必要なサイズの配列を用意することができます。なお、❶の「データの入っている最終行を求める」方法については、5章で詳しく説明します。

Section 04 関数と配列の演習

4章で勉強した関数と配列を使ったプログラムを作ってみましょう！
（正解は本文 222 ページ）

演習1　携帯電話の料金計算

ある携帯電話会社の A コースの料金は、次のようになっています。

- 通話時間が200分以下だと、一律2880円の料金
- 通話時間が200分を超えると、1分ごとに42円の追加料金

演習1シートの (1,1) 〜 (10,1) に通話時間（分）が記入してあります。
通話料金を計算して (1,2) 〜 (10,2) に、次の文字列を記入するプログラムを作りなさい。

通話料金が2880円以下の場合："適切なコースを選択しています。"
通話料金が2880円より大きく10000円以下の場合："Bコースに変更することをおすすめします。"
通話料金が10000円より大きい場合："使いすぎです！"

ただし、通話時間（分）を引数で受け取り、使用料金を計算し、使用料金に対応する文字列を返す関数を作成することとします。

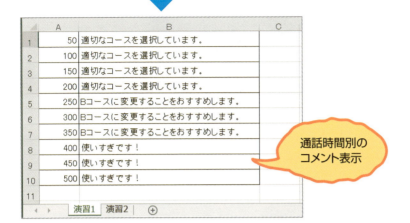

演習2 データの順序を逆にする　　　　　ヒント▶配列

　演習2シートの(1,1)～(10,1)に数値が入っています。図のようにセルの数値を逆順にするプログラムを作りなさい。

Chapter 5

オブジェクト操作と既存関数

Section 01　オブジェクトの操作
- フォント名
- フォントの色
- セルの背景色
- 色について
- 行・列の挿入と削除
- 行・列の非表示と表示
- 値の入っている最終行・最終列を知る
- セル範囲の指定
- ワークシートの数を知る
- ワークシートの追加
- ワークシートの削除
- 保存してあるワークブックを開く、上書きする、閉じる
- 新しいワークブックを作成する

Section 02　ワークシート関数の利用
- 指定した範囲の合計、最大値、最小値を求める

Section 03　VBA関数の利用
- 日付の加算
- 2つの日付の間隔を求める
- 文字列の文字数を求める
- 文字列の一部を抽出する
- データ型の変換
- 絶対値を求める
- 整数部分だけを抽出する
- 平方根を求める
- 乱数を使う
- 三角関数を使う

Section 04　オブジェクト操作と既存関数の演習
● 演習1　条件を満たすセルに色を塗る

この章でマスターすること

　5章では、オブジェクトの操作や既存の関数について説明します。

　Excel VBAの便利なところは、Excelのシートやワークブックなども操作でき、さらに既存のワークシート関数やVBA関数が豊富なことです。シートを増やしたり、ほかのワークブックを開いてそこから値をコピーしたり、といったことも、プログラムを書くことで自動的にできてしまうのです。

　VBAにおいてオブジェクトの操作はそれほど基本的なことではありません。しかし、Excelにおいてはオブジェクトの操作こそ基本です。皆さんがいま勉強しているのは **Excel VBA** です。**Excel VBA** というからには、オブジェクトの操作や既存の関数もある程度は知っておくべきでしょう。

　どんなことができるかだけでも知っておかないと、あとあとExcel VBAを使ったアプリケーションを作ろうとしたときに、どんなものを作ろうかという想像力の範囲が狭くなってしまいます。

　プロパティやメソッドといった聞き慣れない言葉がいっぱい出てきて、頭が混乱するかもしれないので、詳細は覚えなくてかまいません。「へぇ、こんなことができるのかぁ」程度のことを記憶にとどめておいてください。また、この章で取り扱うのは「こう書けば、こんなことができるよ」という紹介なので、詳細は省略します。

✖ Excel VBA 必須用語 ✖

ワークシート関数
VBA 関数
プロパティ
メソッド

✖ ステップアップ用語 ✖

RGB
カラーパレット

Section 01 オブジェクトの操作

Section 01 では、オブジェクトのプロパティやメソッドを使用して、オブジェクトを操作する方法について説明します。

フォント名

　セルやセル範囲のフォント「Cells(○, ○).Font」のNameプロパティを使用することによって、フォント名の取得や指定ができます。取得とは、現在指定されているフォントの名前を知ること。指定とは、自分の好きなフォントを設定することです。

> **書式**
> 取得： 変数 = 対象のセル.Font.Name
> 指定： 対象のセル.Font.Name = フォント名

▼フォント名の指定の例（chap05/Section01.xlsm の「Module1」）

```
Sub フォント名()
    Dim s As Worksheet        ←―ワークシートを代入するオブジェクト変数
    Dim rng As Range          ←―セル範囲を代入するオブジェクト変数
    Set s = ThisWorkbook.Worksheets(1) ←―オブジェクト変数に1枚目の
                                          ワークシートを代入

    s.Cells(1, 1).Font.Name = "HG創英角ゴシックUB"  ←―セルのフォントの指定
    Set rng = s.Range(s.Cells(2, 1), s.Cells(5, 1)) ←― セル範囲を指定
    rng.Font.Name = "HG行書体"  ←―セル範囲のフォントの指定
End Sub
```

▼実行結果

	A	B	C
1	VBA		
2	VBA		
3	VBA		
4	VBA		
5	VBA		
6			

ふむ、フォントが違う

フォントの色

セルやセル範囲のフォント「Cells(○, ○).Font」のColorプロパティやColorIndexプロパティを使用することによって、フォントの色の取得や指定ができます。

書式

```
取得:  変数 = 対象のセル.Font.Color
       変数 = 対象のセル.Font.ColorIndex
指定:  対象のセル.Font.Color = 値
       対象のセル.Font.ColorIndex = 値
```

▼フォント色指定の例（chap05/Section01_2.xlsmの「Module1」）

```
Sub フォント色()
    Dim s As Worksheet

    Set s = ThisWorkbook.Worksheets(1)

    s.Cells(1, 1).Font.Color = vbRed
    s.Cells(2, 1).Font.Color = RGB(255, 0, 0)
    s.Cells(3, 1).Font.ColorIndex = 3
End Sub
```

すべて、フォントの色を赤にする記述

▼実行結果

	A	B	C
1	VBA		
2	VBA		
3	VBA		
4			
5			

いろんな表現方法があるのかぁ

セルの背景色

セルやセル範囲の「Cells(○, ○).Interior」のColorプロパティやColorIndexプロパティを使用することによって、セルの背景色の取得や指定ができます。

> **書式**
>
> 取得： 変数 = 〜.Interior.Color
> 　　　 変数 = 〜.Interior.ColorIndex
> 指定： 〜.Interior.Color = 値
> 　　　 〜.Interior.ColorIndex = 値

▼背景色指定の例（chap05/Section01_3.xlsm の「Module1」）

```
Sub 背景色()
    Dim s As Worksheet
    Dim rng As Range

    Set s = ThisWorkbook.Worksheets(1)

    s.Cells(1, 1).Interior.Color = vbMagenta        ←セルの背景色を指定
    Set rng = s.Range(s.Cells(2, 1), s.Cells(5, 1)) ←セル範囲を指定
    rng.Interior.ColorIndex = 4                     ←セル範囲の背景色を指定
End Sub
```

▼実行結果

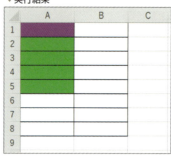

色が付くとかわいい

色について（色の定数、RGB、ColorIndex）

フォントの色やセルの背景色の設定方法がいくつかあると説明しましたが、色の指定方法の中で、色の定数、RGB、ColorIndexについて補足説明をします。

● 色の定数

VBAでvbBlackは黒色を意味します。これは定数としてVBAでもともと決められているからです。定数として用意してある色は次の8色です。

▼ 8色の定数

vbBlack		vbBlue	
vbRed		vbMagenta	
vbGreen		vbCyan	
vbYellow		vbWhite	

● RGB

RGBとはRed（赤）、Green（緑）、Blue（青）の頭文字をとったものです。赤、緑、青は「光の3原色」といわれている色です。赤と緑を混ぜると黄色になるように、光の3原色を混ぜ合わせることで様々な色を表現することができます。

VBAでもこのRGBを使って色を表現できます。各色の割合を0～255の範囲で指定し、表現します。

▼ RGB（赤の割合、緑の割合、青の割合）

● ColorIndex

図工や美術の時間に絵を描くとき、パレットに絵の具を出して絵を描きましたよね？
Excelにも、カラーパレットという色を入れておく場所が用意されています。各色に番号が付けられていますが、それがColorIndexです。
ただし、カラーパレットの色と番号の対応をすべて覚えることは難しいので、慣れないうちはColorIndexは少し使いづらいかもしれません。

行・列の挿入と削除

行や列の挿入はInsertメソッド、削除はDeleteメソッドを使用します。

書式

挿入： 行・列.Insert

削除： 行・列.Delete

▼行と列の挿入例（chap05/Section01_4.xlsmの「Module1」）

```
Sub 行列の挿入()
    Dim s As Worksheet

    Set s = ThisWorkbook.Worksheets(1)

    s.Rows(2).Insert        ← 2行目に行を挿入する
    s.Columns(2).Insert     ← 2列目（B列）に列を挿入する
End Sub
```

※ Insertの部分をDeleteとすると削除できます。

```
    s.Rows(2).Delete
```

▼実行前

	A	B	C
1	1	1	1
2	2	2	2
3	3	3	3
4	4	4	4
5	5	5	5
6	6	6	6
7			
8			

▼実行後

	A	B	C	D
1	1		1	1
2				
3	2		2	2
4	3		3	3
5	4		4	4
6	5		5	5
7	6		6	6
8				

2行目の上に行が挿入され、2列目の左に列が挿入された～

行・列の非表示と表示

行や列を非表示にするには、行や列のHiddenプロパティをTrueに設定します。表示する場合はFalseにします。

> **書式**
>
> 非表示：　行・列.Hidden = True
> 表示　：　行・列.Hidden = False

▼行と列の非表示例（chap05/Section01_5.xlsm の「Module1」）

```
Sub 行列の非表示()
    Dim s As Worksheet

    Set s = ThisWorkbook.Worksheets(1)

    s.Rows(2).Hidden = True       ← 2行目を非表示
    s.Columns(2).Hidden = True    ← 2列目（B列）を非表示
End Sub
```

▼実行前

	A	B	C
1	1	7	13
2	2	8	14
3	3	9	15
4	4	10	16
5	5	11	17
6	6	12	18
7			
8			

▼実行後

	A	C	D
1	1	13	
3	3	15	
4	4	16	
5	5	17	
6	6	18	
7			
8			

値の入っている最終行・最終列を知る

For文で、ある列の1行目から「値が入っている最後の行」まで処理したい場合、値が入っている最後の行はどうやって求めればよいのでしょうか?

「ある列の値の入っている最終行」および「ある行の値の入っている最終列」は、Endプロパティを使って求めることができます。

```
最終行： 変数 = s.Cells(s.Rows.Count, 列).End(xlUp).Row
最終列： 変数 = s.Cells(行, s.Columns.Count).End(xlToLeft).Column
```

※ s はシートの Worksheet オブジェクトです。

Rows.Countは行の数、Columns.Countは列の数を意味します。
よって、

```
s.Rows.Count ➡ ワークシートの行の数 (= 1048576 行)
s.Columns.Count ➡ ワークシートの列の数 (= 16384 列)
```

となります。よって、

```
s.Cells(s.Rows.Count, 列) ➡ s.Cells(1048576, 列)
s.Cells(行, s.Columns.Count) ➡ s.Cells(行, 16384)
```

となります。

Endプロパティは対象となるセルが含まれる領域の終端のセルを示すプロパティで、Excelでの End キー + 方向キー (↑↓←→のいずれか) に相当します。xlUpは↑キー、xlToLeftは←キーに相当します。

```
s.Cells(s.Rows.Count, 列).End(xlUp)
```

これはs.Cells(1048576, 列)を選択して End キー ＋ ↑ キーを押したときと同じ処理となります。

　s.Cells(1048576, 列)から指定した列のセルを上方向に順番に見ていき、値が入っているかどうか確認し、初めて値が入っているセルを取得して、

```
s.Cells(s.Rows.Count, 列).End(xlUp).Row  ←── Row は行という意味
```

のように、Rowを使ってセルの行を取得します。

　すなわち、この取得した行が「指定した列の値の入っている最終行」です。

```
s.Cells(行, s.Columns.Count).End(xlToLeft).Column
```

Column は列という意味

も仕組みは同じなので、説明は省略します。

▼ 2列目の値の入っている最終行と、1行目の値の入っている
　最終列を求める場合

1行目の値の入っている
最終列を求める場合
①右端から値のあるセルを探す

	A	B	C	D	E	F	G	数式バー	I
1	1	2	1	1		1		1	
2		2							
3		2							
4									
5									
6		2							
7		2							
8		2							
9									
10									
11		2							
12									

①下端から値のあるセルを探す

②このセル(11行目)
2列目の値の入っている最終行を求める場合

②このセル(8列目)

セル範囲の指定

セル範囲を指定するには、Rangeプロパティを使用します。

> **書式**
> Set オブジェクト変数 = s.Range(左上のセル, 右下のセル)
>
> ↑ sはシートのWorksheetオブジェクト

使用例はSection 02のワークシート関数のところで紹介します。

▼範囲指定

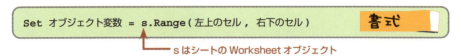

ワークシートの数を知る

ワークシートの数は、WorksheetsコレクションのCountプロパティで取得できます。

> **書式**
> 変数 = Worksheets.Count

▼シート数カウントの例（chap05/Section01_6.xlsm の「Module1」）

```
Sub シート数のカウント()
    Dim シート数 As Integer
    シート数 = ThisWorkbook.Worksheets.Count    ← ワークシートの数をカウント
    MsgBox (シート数)
End Sub
```

▼実行結果

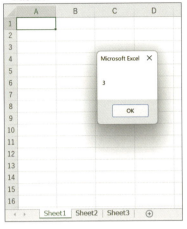

ワークシートの追加

ワークシートの追加にはAddメソッドを使用します。

```
Worksheets.Add After:=ワークシート , Count:=追加したいシート数
```
書式

▼ワークシートの追加の例（chap05/Section01_6.xlsm の「Module2」）

```
Sub シートの追加()
    ThisWorkbook.Worksheets.Add After:=ActiveSheet, Count:=2
End Sub
```

※ `ThisWorkbook.Worksheets.Add Before:=ActiveSheet, Count:=2` と書くと、アクティブになっているシートの前にシートが追加されます

▼実行前

▼実行後

ワークシートの削除

ワークシートの削除はDeleteメソッドで行えます。

> **書式**
>
> ワークシート .Delete

▼ワークシート削除の例

```
Sub シートの削除 ()
    ThisWorkbook.Worksheets(5).Delete  ←── 左から5枚目のワークシートを削除
End Sub
```

保存してあるワークブックを開く、上書きする、閉じる

ブックを開くOpenメソッド、上書きするSaveメソッド、閉じるCloseメソッドです。

> **書式**
>
> 開く　：　Workbooks.Open（パスとファイル名）
>
> 上書き：　ワークブック.Save
>
> 閉じる：　ワークブック.Close

▼ワークブックを開く例（フルパスを指定）

```
Sub 保存しているブックを開く ()
    Workbooks.Open ("C:\売り上げデータ.xlsx")  ←── 開く
End Sub
```

▼ワークブックを開く例（同じフォルダー内のブックを開く）(chap05/Section01_7.xlsmの「Module1」)

```
Sub 保存しているブックを開く ()
    Workbooks.Open Filename:=ThisWorkbook.Path & "\売り上げデータ.xlsx"
End Sub
```

▼ワークブックを上書きする例（chap05/Section01_7.xlsm の「Module2」）

```
Sub ブックを上書きする ()
    Workbooks("売り上げデータ.xlsx").Save  ←── 現在開いているブックを
End Sub                                         上書き保存
```

▼ワークブックを閉じる例（chap05/Section01_7.xlsm の「Module3」）

```
Sub ブックを閉じる()
    Workbooks("売り上げデータ.xlsx").Close ←──── 現在開いているブックを閉じる
End Sub
```

▼ワークブックを開いた結果

	A	B	C	D
1	商品名	金額		
2	商品A	¥50,000		
3	商品B	¥68,900		
4	商品C	¥620,000		
5	商品D	¥149,000		
6	商品F	¥20,000		
7	商品G	¥329,999		
8	商品H	¥120,000		
9	商品I	¥49,990		
10	商品J	¥510,440		
11	商品K	¥289,984		
12	商品M	¥272,099		
13	商品N	¥296,311		
14	商品O	¥308,825		
15	商品P	¥321,439		
16	商品Q	¥334,553		
17	商品R	¥347,667		
18	商品S	¥360,880		
19	商品T	¥393,894		
20	商品U	¥400,100		
21	商品V	¥456,000		
22	商品W	¥440,434		
23	商品X	¥425,250		
24	商品Y	¥39,800		
25	商品Z	¥59,800		
26				
27				
28				

2022_02売り上げデータ

> Workbooks.Openで同じフォルダーにある「売り上げデータ.xlsx」を開いた

新しいワークブックを作成する

新しいワークブックを作成するには、Addメソッドを使用します。

▼新しいワークブックを作成する例（chap05/Section01_7.xlsm の「Module4」）

```
Sub 新しいブックを作成する()
    Workbooks.Add
End Sub
```

書式

Section 02 ワークシート関数の利用

Section 02 では、Excel 既存のワークシート関数を VBA のプログラムから利用する方法について説明します。

指定した範囲の合計、最大値、最小値を求める

ワークシート関数は、「Application.WorksheetFunction.関数名(引数)」という使い方をします。2章で説明したように、ドット(.)は「の」か「を」と考えればよいので、Application.WorksheetFunctionはアプリケーション(Excelのこと)「の」ワークシート関数を意味します。

代表的なワークシート関数である合計、最大値、最小値の関数名は、それぞれSum、Max、Minで(関数名はワークシートでは大文字でしたが、VBAでは先頭のみ大文字となります)、次のように使います。

```
Application.WorksheetFunction.Sum(範囲)
```
書式

```
Application.WorksheetFunction.Max(範囲)
```
書式

```
Application.WorksheetFunction.Min(範囲)
```
書式

▼ワークシート関数の例(chap05/Section02.xlsm の「Module1」)

```
Sub ワークシート関数()
    Dim rng As Range        ← セル範囲を代入するオブジェクト変数
    Dim s As Worksheet      ← ワークシートを代入するオブジェクト変数

    ' 処理対象のワークシートをオブジェクト変数に設定
    Set s = ThisWorkbook.Worksheets("売り上げ状況")
    ' (2行, 2列)~(13行, 2列)のセル範囲をオブジェクト変数に設定
    Set rng = s.Range(s.Cells(2, 2), s.Cells(13, 2))
```

```
End Sub                                                              ← 合計
    s.Cells(2, 4) = Application.WorksheetFunction.Sum(rng) ← 最大値
    s.Cells(5, 4) = Application.WorksheetFunction.Max(rng) ← 最小値
    s.Cells(8, 4) = Application.WorksheetFunction.Min(rng)
```

▼実行前 ▼実行後

COLUMN アルゴリズム

　処理の手順を**アルゴリズム**といいます。3章の演習で最大値を求めるものがありました。演習では「最大値を求めるアルゴリズム」を記述したことになります。最小値を求めるためにも、最大値と同じようなアルゴリズムを記述しなければいけません。

　しかし、Excelのワークシート関数を使用すると、これらのアルゴリズムをいっさい記述しなくても、最大値やその他の計算結果が得られてしまいます。ただし、ほかのプログラミング言語も今後勉強しようと考えている人は、応用力を付けるためにもアルゴリズムの勉強しておいた方がよいでしょう。

　プログラムを簡単にするためにワークシート関数の活用もおすすめしますが、アルゴリズムを考える力もちゃんと養っておきましょうね。

Section 03 VBA 関数の利用

Section 03 では、VBA に用意されている VBA 関数のうち使用頻度の高いものの使用方法を説明します。

日付の加算

ある日付に対して、指定した日数を加えたり引いたりするためには、DateAddという関数を使います。

> **書式**
> DateAdd(間隔の単位, 間隔, 開始する日付)

間隔の単位で、週、日、時間、分など、どの単位で計算を行うかを指定します。
間隔の単位の設定値は次のとおりです。

設定値	設定値の意味
"q"	四半期
"m"	月
"y"	年間通算日
"d"	日
"w"	週日

設定値	設定値の意味
"ww"	週
"h"	時
"n"	分
"s"	秒

▼日付加算の例（chap05/Section03.xlsm の「Module1」）

```
Sub 日付の加算()
    Dim 開始日 As Date        ← Date 型の変数
    Dim 間隔 As Integer
    Dim s As Worksheet

    ' 処理対象のワークシートをオブジェクト変数に設定
    Set s = ThisWorkbook.Worksheets("日付の加算")

    開始日 = s.Cells(2, 1)    ← 日付を代入
```

```
        間隔 = s.Cells(2, 2)     ←――― 加える日数を代入
        s.Cells(2, 3) = DateAdd("d", 間隔, 開始日)    ←――― 日付の加算
End Sub
```

▼実行前

	A	B	C
1	開始日	間隔（日）	終了日
2	2022/3/10	90	
3			

▼実行後

	A	B	C
1	開始日	間隔（日）	終了日
2	2022/3/10	90	2022/6/8
3			

2つの日付の間隔を求める

2つの日付の間隔を求めるためにはDateDiffという関数を使います。

```
DateDiff(間隔の単位, 日付1, 日付2)
```
  書式

▼日付間隔の計算例（chap05/Section03.xlsm の「Module2」）

```
Sub 日付の間隔()
    Dim 開始日 As Date  ┐
    Dim 終了日 As Date  ┘ Date 型の変数
    Dim s As Worksheet

    ' 処理対象のワークシートをオブジェクト変数に設定
    Set s = ThisWorkbook.Worksheets("日付")

    開始日 = s.Cells(2, 1)     ←――― 開始日を代入
    終了日 = s.Cells(2, 2)     ←――― 終了日を代入
    s.Cells(2, 3) = DateDiff("d", 開始日, 終了日)    ←――― 開始日と終了日の
End Sub                                                    間隔を求める
```

▼実行前

	A	B	C
1	開始日	終了日	間隔（日）
2	2022/3/10	2022/6/8	
3			

▼実行後

	A	B	C
1	開始日	終了日	間隔（日）
2	2022/3/10	2022/6/8	90
3			

文字列の文字数を求める

文字列の文字数を求めるにはLenという関数を使います。

> Len (文字列)　　　　　　　　　　　　　　　　　書式

▼ Len関数の使用例（chap05/Section03_2.xlsm の「Module1」）

```
Sub 文字列の長さ()
    Dim s As Worksheet
    Dim 文字列 As String    ← String型の変数
    Dim i As Integer
    
    ' 処理対象のワークシートをオブジェクト変数に設定
    Set s = ThisWorkbook.Worksheets("文字列1")
    For i = 2 To 10
        文字列 = s.Cells(i, 1)
        s.Cells(i, 2) = Len(文字列)    ← 文字列の長さを求める
    Next i
End Sub
```

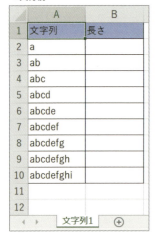

文字列の一部を抽出する

文字列の左端から何文字かを抽出するにはLeft関数、指定した位置から何文字かを抽出するにはMid関数、右端から何文字かを抽出するにはRight関数を使います。

> **Left（文字列，抽出する文字数）**　書式

> **Mid（文字列，開始位置，抽出する文字数）**　書式

> **Right（文字列，抽出する文字数）**　書式

「何に使うんだ？」と思う人もいるかもしれませんが、仕事で意外とよく使います。

「D-2000-JP」という製品コードがあるとして、左端の文字は品種、3文字目から6文字目までは製造年、8文字目から9文字目までは販売市場として、品種、製造年、販売市場を抽出する例を示します。

▼ Left、Mid、Right 関数の使用例（chap05/Section03_2.xlsm の「Module2」）

```vba
Sub 文字列の抽出()
    Dim s As Worksheet
    Dim 製品コード As String
    Dim i As Integer

    ' 処理対象のワークシートをオブジェクト変数に設定
    Set s = ThisWorkbook.Worksheets("文字列2")

    For i = 2 To 10
        製品コード = s.Cells(i, 1)
        s.Cells(i, 2) = Left(製品コード, 1)      ← 左から1文字抽出
        s.Cells(i, 3) = Mid(製品コード, 3, 4)    ← 3文字目から4文字抽出
        s.Cells(i, 4) = Right(製品コード, 2)     ← 右から2文字抽出
    Next i
End Sub
```

▼実行前　　　　　　　　　　　　▼実行後

データ型の変換

データ型を変更する場合はデータ型変換関数を使います。

関数	戻り値		関数	戻り値
CBool(値)	ブール型 (Boolean)		CInt(値)	整数型 (Integer)
CByte(値)	バイト型 (Byte)		CLng(値)	長整数型 (Long)
CCur(値)	通貨型 (Currency)		CSng(値)	単精度浮動小数点型 (Single)
CDate(値)	日付型 (Date)		CVar(値)	バリアント型 (Variant)
CDbl(値)	倍精度浮動小数点型 (Double)		CStr(値)	文字列型 (String)
CDec(値)	10 進型 (Decimal)			

▼データ型の変換例

```
Sub データ型の変換()

    Dim a As Integer
    Dim b As String
    Dim c As Date

    a = 100
    b = CStr(a)        ←── a を String 型に変換


    b = "2022/1/1"     ←── "2022/1/1" という文字列を b に代入
    c = CDate(b)       ←── b を Date 型に変換


End Sub
```

絶対値を求める

ある数値の絶対値を求めるにはAbs関数を使います。

▼ Abs関数の使用例（chap05/Section03_3.xlsmの「Module1」）

```
Sub 絶対値()
    Dim s As Worksheet
    Dim i As Integer
    Dim 値 As Integer

    ' 処理対象のワークシートをオブジェクト変数に設定
    Set s = ThisWorkbook.Worksheets("絶対値")
    For i = 2 To 10
        値 = s.Cells(i, 1)
        s.Cells(i, 2) = Abs(値)  ←──── 絶対値を求める
    Next i
End Sub
```

整数部分だけを抽出する

実数の整数部分だけを抽出するにはInt関数かFix関数を使います。

Int（数値）　　　　　　　　　　　　　　　　　　　　　　　　書式

Fix（数値）　　　　　　　　　　　　　　　　　　　　　　　　書式

　Int関数とFix関数は、引数に正の値を指定した場合には、どちらも「引数以下の最大の正の整数」を返します。引数に負の値を指定した場合に、Int関数は「引数を超えない最大の負の整数」を返します。それに対して、Fix関数は「引数以上の最小の負の整数」を返します。

▼Int、Fix 関数の使用例（chap05/Section03_3.xlsm の「Module2」）

```
Sub 整数部分の抽出()
    Dim s As Worksheet
    Dim 値1 As Double
    Dim 値2 As Double

    ' 処理対象のワークシートをオブジェクト変数に設定
    Set s = ThisWorkbook.Worksheets("整数部分")

    値1 = s.Cells(2, 1)      ' セル(2,1)の値を値1に代入
    値2 = s.Cells(3, 1)      ' セル(3,1)の値を値2に代入

    s.Cells(2, 2) = Int(値1) ' Int関数で値1の整数部分を抽出してセル(2,2)に出力
    s.Cells(2, 3) = Fix(値1) ' Fix関数で値1の整数部分を抽出してセル(2,3)に出力

    s.Cells(3, 2) = Int(値2) ' Int関数で値2の整数部分を抽出してセル(3,2)に出力
    s.Cells(3, 3) = Fix(値2) ' Fix関数で値2の整数部分を抽出してセル(3,3)に出力
End Sub
```

▼実行前

	A	B	C
1	値	Int関数	Fix関数
2	9.5		
3	-9.5		
4			

▼実行後

	A	B	C
1	値	Int関数	Fix関数
2	9.5	9	9
3	-9.5	-10	-9
4			

● Int と Fix の違い

引数が負の値（-9.5）の場合

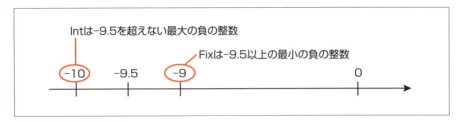

平方根を求める

数値の平方根（√）を求めるにはSqr関数を使います。

> Sqr (数値)
> **書式**

▼ Sqr 関数の使用例（chap05/Section03_3.xlsm の「Module3」）

```
Sub 平方根()
    Dim s As Worksheet
    Dim i As Integer
    Dim 値 As Integer

    ' 処理対象のワークシートをオブジェクト変数に設定
    Set s = ThisWorkbook.Worksheets("平方根")

    For i = 2 To 10
        値 = s.Cells(i, 1)
        s.Cells(i, 2) = Sqr(値)     ←── 値の平方根を求めてセル (i, 2) に出力
    Next i
End Sub
```

乱数を使う

乱数を発生させたいときはRnd関数を使います。Rnd関数は、戻り値として0以上1未満の範囲の値を返します。ある範囲の整数の乱数を発生させたいときは、次のように記述します。

> 変数 =Int ((上限値 - 下限値 + 1) * Rnd + 下限値)
> **書式**

例えば、サイコロのように1〜6の整数の乱数を発生させたいときは、上限値を6、下限値を1に設定すれば、プログラム上でサイコロを振ることができます。

▼ Rnd 関数の使用例（chap05/Section03_3.xlsm の「Module4」）

```
Sub 乱数()
    Dim s As Worksheet
    Dim i As Integer
    Dim 上限値 As Integer
    Dim 下限値 As Integer

    ' 処理対象のワークシートをオブジェクト変数に設定
    Set s = ThisWorkbook.Worksheets("乱数")

    上限値 = 6    ' 上限値を代入
    下限値 = 1    ' 下限値を代入
    Randomize    ' 乱数ジェネレーター(生成器)を初期化する

    For i = 2 To 10
        s.Cells(i, 1) = Int((上限値 - 下限値 + 1) * Rnd + 下限値)
    Next i                                    1～6の整数の乱数を発生させる
End Sub
```

アドバイス

　乱数のプログラムの例でRandomizeと記述されています。試しにRandomizeという記述を消してから、「乱数」プロシージャを1回実行し、ワークブックを保存して閉じてください。そのあとでもう一度、ワークブックを開いて「乱数」プロシージャを実行してください。まったく同じ数字が表示されるはずです。その原因は、次のようなイメージで理解してください。Randomizeという命令でめちゃくちゃな数字が入った表を作ります。Rndを実行すると、その表の上から順番に値を取得します。Randomizeを実行しないと毎回同じ表を使うので、次に出る数字がわかってしまい、乱数ではなくなってしまいます。

Point

乱数を使う場合は、必ずRandomizeを記述するようにしましょう！

三角関数を使う

三角関数のサイン、コサイン、タンジェントを求めたい場合は、Sin関数、Cos関数、Tan関数を使います。

引数の角度の単位は「度（°）」ではなく、「ラジアン」です。「360°＝2πラジアン」なので、角度をラジアンに変換するときは角度（°）にπ/180を掛けます。

45°をラジアンに変換する場合「45°×π/180（ラジアン）」とします。

▼ Sin、Cos、Tan関数の使用例（chap05/Section03_3.xlsm の「Module5」）

```
Sub 三角関数()
    Dim s As Worksheet
    Dim i As Integer
    Dim 角度 As Integer
    Dim π As Double

    ' 処理対象のワークシートをオブジェクト変数に設定
    Set s = ThisWorkbook.Worksheets("三角関数")
    π = Application.WorksheetFunction.Pi      ← ワークシート関数Piでπの値を取得

    For i = 2 To 47
        角度 = s.Cells(i, 1)                  ← 角度を代入
        s.Cells(i, 2) = Sin(角度 * π / 180)   ← sin関数
        s.Cells(i, 3) = Cos(角度 * π / 180)   ← cos関数
        s.Cells(i, 4) = Tan(角度 * π / 180)   ← tan関数
    Next i
End Sub
```

Section 04 オブジェクト操作と既存関数の演習

5章で勉強した内容の一部を使ってプログラムを作ってみましょう！
（正解は本文 226 ページ）

演習 1　条件を満たすセルに色を塗る

　演習 1 シートの 1 列目に数値が入っています。何行目まで数値が入っているかはわかりません。以下のように、数値が 100 以上のセルを赤く塗るプログラムを作成しなさい。

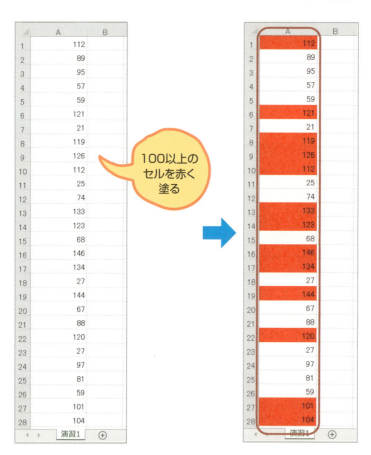

100以上のセルを赤く塗る

ワークシートの列数はなぜ中途半端なの？

　コンピューターの中は0と1の世界です。簡単にいうと、コンピューターの中の回路には電気が流れていて、電圧が高ければ1、電圧が低ければ0というように判別します。コンピューターは、この0と1という数字を使ってすべての計算を行っているのです。

　「？マーク」が頭の中に浮かんだ人も多いと思いますが、そこで必要になるのが、2進数というものです。ふだん、私たちが生活の中で使っているのは10進数ですが、2進数とはすべての数字を0と1で表したものです。

　2進数の「11」は10進数の「3」です。
　10進数で234という数字があったとしましょう。
　1の位は4、10の位は3、100の位は2です。1の位は10^0の位、10の位は10^1の位、100の位は10^2の位と言い換えられます。つまり、234=10^2×2+10^1×3+10^0×4です。
　2進数も同じで、先ほどの2進数の11は2^1×1+2^0×1を計算した結果なので3になります。

　コンピューターの中ではすべて2進数で計算されます。Excel 2003時代のワークシートの列数は256列でした。2進数の8桁の数字の範囲は、00000000〜11111111であり、10進数では0〜255です。列に0列はないので1を足して256です。

　Excel 2007以降の場合は16384列ですが、同じように14桁の2進数で考えてみてください。

　コンピューターの世界でよく目にする不自然な数字は、2進数に変換してみるとだいたい納得できます。

Chapter 6

応用文法

Section 01　条件分岐と繰り返しの応用文法
- 条件分岐（Select Case文）
- 繰り返し（Do文）

Section 02　その他の制御文
- 繰り返しやプロシージャを抜ける（Exit）
- 指定した場所にプログラムをジャンプさせる（GoTo）
- プログラムの実行を終了させたい（End）

Section 03　ユーザー定義型
- ユーザー定義型とは
- ユーザー定義型の定義方法

この章でマスターすること

　6章では、3章で説明したIf文、For文以外の制御文(Select Case、Do、Exit、GoTo、End)とユーザー定義型について説明します。
　6章の内容を知らなくてもプログラムを作ることは可能です。ただし、複雑な処理をする場合は、Exit、GoTo、End文も必要になるかもしれません。また、ユーザー定義型は慣れると非常に使い勝手のよい便利なものです。

✖Excel VBA 必須用語✖

Select Case 文　　Do 文
Exit 文　　　　　　GoTo 文
End 文

✖ ステップアップ用語 ✖

ユーザー定義型

Section 01 条件分岐と繰り返しの応用文法

3章の基本文法で条件分岐、繰り返しの文法として **If文**、**For文** を勉強しました。これらの文法で事足りることが多いのですが、条件分岐には **Select Case 文**、繰り返しには **Do 文** という表現方法もあるので、応用文法として紹介します。

条件分岐（Select Case 文）

Select Case を直訳すると、「場合を選ぶ」となります。If～Then は「もし～だったら」でした。If文と同様に簡単な英語ですね。

Select Case文 は次のように記述します。

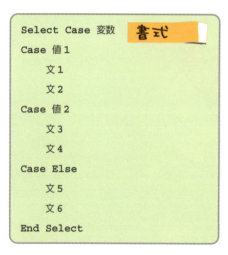

Select Case文 の利点はズバリ、見やすい！　ということです。

ある条件分岐を **If文** と **Select Case文** でそれぞれ記述した例を見てみましょう。

▼ If 文と Select Case 文の比較

```
If 背番号 = 1 Then
    MsgBox ("永久欠番です")
ElseIf 背番号 = 3 Then
    MsgBox ("永久欠番です")
Else
    MsgBox ("使用可能です")
End If
```

```
Select Case 背番号
Case 1          ← ❶背番号が1の場合
    MsgBox ("永久欠番です")
Case 3          ← ❷背番号が3の場合
    MsgBox ("永久欠番です")
Case Else       ← それ以外の場合
    MsgBox ("使用可能です")
End Select
```

日本語で考えても、

If文の場合

もし背番号が1だったら…
そうでなくてもし背番号が3だったら…
それ以外だったら…

Select Case文の場合

背番号が
1なら…
3なら…
それ以外なら…

というように簡潔に見えますよね？

また、❶と❷のケースは同じ処理をしているので、次のように表現することもできます。

▼ Select Case 文の例

```
Select Case 背番号
Case 1, 3     ←――背番号が1か3の場合
    MsgBox ("永久欠番です")
Case Else     ←――それ以外の場合
    MsgBox ("使用可能です")
End Select
```

値の範囲を指定したいときは、「To」を使います。

▼ Select Case 文で値の範囲を指定

```
Select Case 変数
Case 値1 To 値2
    文1
    文2
Case Else
    文3
    文4
End Select
```

ただし、比較演算子を使った条件分岐などを『Select Case文』で書こうとすると、直感的にはわかりづらい新しい文法を覚えなくてはいけないので、慣れるまではIf文で十分でしょう。

繰り返し（Do 文）

繰り返しの文法として **For文** を勉強しました。繰り返しのその他の文法として **Do(While, Until) 文** があります。

Do文 は一般的に、繰り返しの回数がわかっていないときに使用します。

For文の場合は、次の例の「1から10まで繰り返します！」のように、繰り返す回数を最初に指定しなければなりません。つまり、繰り返しの回数がわかっていないとFor文は使えないのです。

▼ For 文には終了値がある

| 終わりわからざれば Do を使うべし |

それでは、次のような例を考えてみましょう。

1列目に、テストの点数が高い順に300人分の点数が並んでいるとします。点数が65点以上のときだけ、2列目に合格と入力するプログラムを作ってみましょう。

皆さんはどのようなプログラムを書くでしょうか？　300行目までとわかっているので、次のようなプログラムを書くかもしれません。

▼ For 文を使った場合（chap06/Section01.xlsm の「Module1」）

```
Sub 合否判定 ()
    Dim i As Integer
    Dim s As Worksheet
    Dim 点数 As Integer

    ' 処理対象のワークシートをオブジェクト変数に設定
    Set s = ThisWorkbook.Worksheets("テスト")

    ' 300回繰り返す
    For i = 1 To 300
        ' セル (i, 1) の値を点数に代入
        点数 = s.Cells(i, 1)
        ' 点数が65以上の場合
        If 点数 >= 65 Then
            ' セル (i, 2) に "合格" を入力する
            s.Cells(i, 2) = "合格"
        End If
    Next i
End Sub
```

しかし、この場合は点数が「高い順」に並んでいます。65点未満の点数が最初に見つかった時点で、その行から下はすべて65点未満なので、300行まで処理を行うのはムダです。

そこで、**点数が65点以上の間は繰り返す**と考えてみましょう。

そうすると、何行目まで処理すればいいかわからなくなりますよね？

このように、繰り返し回数がわからない場合に**Do文**を使います。**Do文**を使って書き換えたプログラムは、次のようになります。

▼Do文を使った場合（chap06/Section01.xlsm の「Module2」）

```
Sub 合否判定Do()
    Dim i As Integer
    Dim s As Worksheet
    Dim 点数 As Integer
    Set s = ThisWorkbook.Worksheets("テスト")
    i = 1          ←―― 変数iに1を代入
    点数 = s.Cells(i, 1)  ←―― 点数にi行目（1行目）のセルの値を代入

    Do While 点数 >= 65   ←―― ❶点数が65点以上の間は繰り返す

        s.Cells(i, 2) = "合格"

        i = i + 1      ←―― ❸iに1を足す
        点数 = s.Cells(i, 1) ←―― 点数にi行目のセルの値を代入
    Loop  ←―― ❷
End Sub
```

For文がFor～Nextの間の処理を繰り返すように、**Do文**はDo(❶)～Loop(❷)の間の処理を繰り返します。ただし、**For文**にはカウンター変数があり、カウンター変数が自動的に足されていきましたが、**Do文**にはカウンター変数がありません。

そこで、繰り返しのたびに値が増えていくカウンター変数が必要な場合は、❸のように自分で「変数の値を増やしていく文」を記述する必要があります。

Do文には次の4パターンがあります。

●Do文の4つのパターン

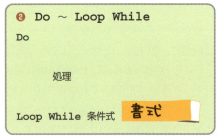

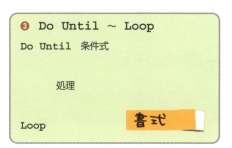 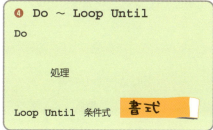

大きく分けると、While を使う文(❶❷)と Until を使う文(❸❹)があります。

Point
- **While は、条件を満たしている間、繰り返します。**
- **Until は、条件を満たすまで、繰り返します。**

While と Until の違いに注意すべし

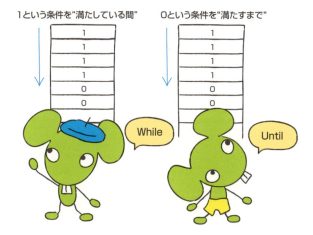

　また、While や Until が先にある場合(❶❸)と、While や Until があとにある場合(❷❹)に分けられますが、「繰り返しを継続する条件と合致するかどうか」の判断を、最初にするか最後にするかの違いです。

　While や Until が先にある❶❸の場合、もし最初から条件に合わないと、Do 文の中の処理が一度も実行されません。「少なくとも 1 回は実行したい」という場合は、❷❹のように、Do 文の最後に While や Until を記述しましょう。

> While と Until の位置を熟慮すべし

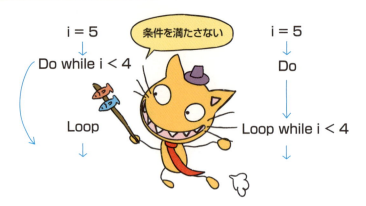

実際の処理では、「何行目まで処理するか」が一定ではないことが多いです。そうした場合、次のような形でDo文を使うことで、最終行まで処理することができます。

▼最終行までの処理

```
Dim s As Worksheet
Dim i As Integer

Set s = ThisWorkbook.Worksheets(1)
i = 1
Do While s.Cells(i, 1) <> ""      ← セルの値が空白でない間は
                                     繰り返す
    処理

    i = i + 1
Loop
```

<>は「でない」を表します

ただしこの場合は、途中に空白のセルがあると、そこで処理がストップします。途中に空白のセルがあってもその先まで処理する必要がある場合は、5章で紹介した「最終行を取得する方法」を利用してFor文を使いましょう。

Section 02 その他の制御文

Section 02 では、処理を途中でやめたり、ある処理はしないで次の処理を行いたい場合などに使う制御文を紹介します。

繰り返しやプロシージャを抜ける (Exit)

複雑な処理のプログラムを作っていると、

- For文やDo文などの繰り返しの途中で、ある条件になったら、繰り返しを抜けて次の処理をしたい。
- ある条件を満たしたら、プロシージャを終了させたい。
- エラーが発生した場合に、プロシージャを終了させたい。

といったケースが発生します。
　このような場合は**Exit文**で、For文やDo文といった繰り返し、あるいはSubやFunctionプロシージャを抜けることができます。

> 途中でやめるもよし

Exit文は次のように記述します。

```
Exit For
Exit Do
Exit Sub
Exit Function
```

書式

実際のプログラムを次に示します。

▼ Exit 文の例 1 （chap06/Section02.xlsm の「Module1」）

```
Sub Exit文1()

    Dim s As Worksheet

    Dim i As Integer


    ' 処理対象のワークシートをオブジェクト変数に設定

    Set s = ThisWorkbook.Worksheets(1)

    ' iが1から10になるまで繰り返す

    For i = 1 To 10

        If i = 5 Then

            Exit For          ❶For文を抜ける（❷へジャンプ）

        End If

        s.Cells(i, 1) = i

    Next i
                                    ❷

    s.Cells(i, 1) = "終了"     ❸


End Sub
```

For文を抜ける
ジャンプ

▼ Exit 文の例 2（chap06/Section02.xlsm の「Module2」）

```
Sub Exit文2()

    Dim s As Worksheet

    Dim i As Integer


    ' 処理対象のワークシートをオブジェクト変数に設定

    Set s = ThisWorkbook.Worksheets(2)

    ' iが1から10になるまで繰り返す

    For i = 1 To 10

        If i = 5 Then

            Exit Sub          ←──❶Subプロシージャを抜ける（❹へジャンプ）

        End If

        s.Cells(i, 1) = i

    Next i


    s.Cells(i, 1) = "終了"     ←❸

                              ←❷

End Sub
```

❹

Subを抜ける
ジャンプ

　例1と例2はほとんど同じプログラムですが、❶の部分がExit For か Exit Sub かの違いがあります。

　例1の場合はFor文を抜けるので❷へジャンプし、例2の場合はSubプロシージャを抜けるので❹へジャンプします。そのため、例1の場合は❸の文が実行されますが、例2の場合は❸の文が実行されません。

　その結果、次の図のように実行結果に違いが生じます。

▼例 1 の実行結果

▲	A	B	C
1	1		
2	2		
3	3		
4	4		
5	終了		
6			

Sheet1　Sheet2　⊕

▼例 2 の実行結果

▲	A	B	C
1	1		
2	2		
3	3		
4	4		
5			
6			

Sheet1　Sheet2　⊕

143

指定した場所にプログラムをジャンプさせる (GoTo)

　Exitは、繰り返し文やプロシージャを抜けるための命令でした。言い換えると、繰り返し文やプロシージャの終わりまで**ジャンプ**する命令であり、その他の位置へジャンプすることはできません。「プログラム内の指定した位置」にジャンプしたい場合は、**GoTo文**を使います。

> 目印までジャンプ

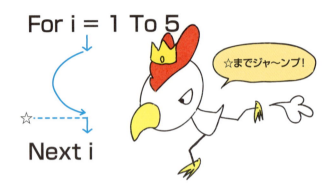

●ジャンプ (GoTo) するための目印 (行ラベル)

　GoTo文を使えば指定した場所にジャンプできますが、そのジャンプ先はどうやって指定するのでしょう？　プログラムを見渡しても、そんな目印のようなものは見あたりません。

> 行ラベル

実は、目印は自分で作るのです。その目印を**行ラベル**といいます。

行ラベルの書き方ですが、プログラム中のジャンプ先の行にラベル名を書き、後ろにコロン(:)を付けます。

> ラベル名:　　　　　　　　　　　　　　　　　　　　　　　　　　　**書式**

行ラベルにジャンプするには、次のように記述します。

> GoTo ラベル名　　　　　　　　　　　　　　　　　　　　　　　　**書式**

▼ Goto 文の例（chap06/Section02.xlsm の「Module3」）

```
Sub GoTo文()
    Dim s As Worksheet
    Dim i As Integer

    ' 処理対象のワークシートをオブジェクト変数に設定
    Set s = ThisWorkbook.Worksheets(3)
    ' iが1から10になるまで繰り返す
    For i = 1 To 10
        If i = 5 Then
            GoTo L1    ← L1 という行ラベルの位置へジャンプ
        End If
        s.Cells(i, 1) = i
L1:     ←
    Next i
End Sub
```

L1へ
ジャンプ

この例では、i=5のときはL1にジャンプするようになっているので、セル(5,1)には何も記述されません。

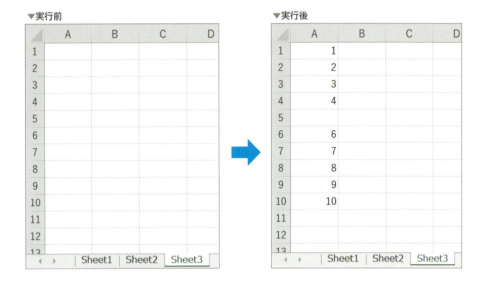

プログラムの実行を終了させたい（End）

　Exit文は繰り返しやプロシージャを抜けるための構文でしたが、プログラム自体を終了させたいときには**End文**を使います。プログラム中に「End」と記述すると、プログラムがそこで終了します。

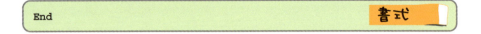

　Exit文との違いがわかりづらいかもしれませんが、7章のSection 01では、Subプロシージャを複数に分けてプログラムを作ります。そうすると、プロシージャを終了させるだけではプログラムを終了させることができません。そのような場合には、**End文**を使用してください。

Section 03 ユーザー定義型

この Section では、ユーザー定義型というものを説明します。ユーザー定義型を使いこなせれば、かなりの上級レベルです。VBA ではユーザー定義型といいますが、C 言語などでは構造体といいます。

ユーザー定義型とは

> **Point**
> ユーザー定義型とは**自分で作るプロパティ集**のようなものです。

例として、会社の健康診断のデータを扱うことを考えましょう。
健康診断のデータでは、各社員の名前・身長・体重のデータがひとまとまりとして扱われます。

上級者への道

例えば、名前・身長・体重に関して、プログラム中で10名分のデータを記憶する必要があるときは、次のように3つの配列を用意する方法が考えられます。

健康診断のデータ

```
Dim 名前 (1 To 10) As String
Dim 身長 (1 To 10) As Double
Dim 体重 (1 To 10) As Double
```

1次元配列で記憶

3つの配列があれば覚えられるよ

名前(1 To 10)
身長(1 To 10)
体重(1 To 10)

また、次のように10行3列の2次元配列を作って、1列目には名前、2列目には身長、3列目には体重という規則を設けて、配列に記憶させることもできるでしょう。

```
Dim 社員データ (1 to 10, 1 to 3) as Variant
```

2次元配列で記憶

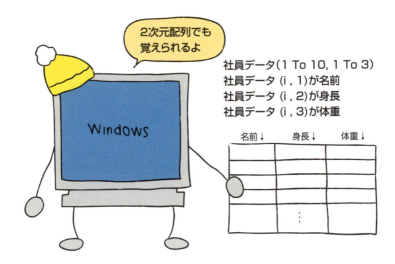

　前者の場合は、配列名に「名前」「身長」「体重」という名前を使用できるのでわかりやすいですが、3つの別々の配列を作るため、代入のプログラムにミスがあると、名前と身長が別人のデータになるといった恐れもあります。
　後者の場合は、1つの配列ですっきりしているかもしれませんが、気を付けなければならないことがあります。
　名前はString型で、身長と体重はDouble型だということです。
　そのため、異なる型を同じ配列に代入する必要上、配列のデータ型はどんな型でも入れられる**Variant**型で宣言しなければなりません。
　さらに、1列目は名前、2列目は身長、3列目は体重──ということを覚えておかなければ、あとでプログラムを見直したときに、何をしているのかさっぱりわかりません。

> 2次元配列の欠点

社員データ (i , 1)
社員データ (i , 2)
社員データ (i , 3)

そこで次のように、自分で「健康診断」型という型を作って、名前、身長、体重を一度に扱えるようにします。

▼「健康診断」型

```
Dim 社員データ (1 To 10) As 健康診断   ←──「健康診断」型の要素数 10 の配列
                                        「社員データ」を用意

社員データ (1).名前 = "Excel 太郎"   ←──「社員データ」のインデックス 1 の「名前」に代入
社員データ (1).身長 = 165.3   ←──「社員データ」のインデックス 1 の「身長」に代入
社員データ (1).体重 = 65.4   ←──「社員データ」のインデックス 1 の「体重」に代入
```

この「健康診断」型のように、自分で定義する型が**ユーザー定義型**です。
ユーザー定義型を使うことで、データ型の異なる複数のデータをひとまとまりのデータとして扱うことができます。

> ユーザー定義型

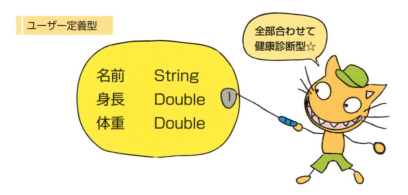

社員データのインデックス1の「名前」を「社員データ(1).名前」で参照していますが、このようにドット(.)でつなぐ使い方は、フォントの色(Font.Color)のようなプロパティの使い方と非常によく似ています。

健康診断の例のような配列でなくても、

```
Dim　社員データ　As　健康診断型
```

というように、**ユーザー定義型**の変数を宣言することができます。

ユーザー定義型の定義方法

　ユーザー定義型を使えるといっても、皆さんが思っていることをコンピューターが察して、「健康診断型」というデータ型を作ってくれるわけではありません。
　プログラムという手順書の中に「健康診断型」を「定義」する必要があります。

ユーザー定義型を定義するには、標準モジュールで次のように記述します。

ユーザー定義型の定義は、必ずプロシージャの外に書いてください。

▼ユーザー定義型の使用例

```
Type 健康診断
    名前 As String
    身長 As Double              プロシージャの外に書く！
    体重 As Double
End Type


Sub ユーザー定義型()
    Dim 社員データ(1 To 20) As 健康診断    ← 健康診断型の社員データという配列
    Dim s As Worksheet
    
    Set s = ThisWorkbook.Worksheets("健康診断")
    
    For i = 1 To 20
        社員データ(i).名前 = s.Cells(i, 1)
        社員データ(i).身長 = s.Cells(i, 2)    健康診断型の配列に値を代入
        社員データ(i).体重 = s.Cells(i, 3)
    Next i
    .
    .
    .
End Sub
```

★実践編★

さぁ、いよいよ Excel VBA を
使って、自分でアプリケーションを
作ってみましょう！

Chapter 7

実践的な使える技

Section 01　機能別、目的別にプログラムを分割
- Subプロシージャの呼び出し
- プログラムの分割

Section 02　モジュール化
- よく使うプログラムを使いまわす
- モジュールにまとめる
- モジュールのエクスポート
- モジュールのインポート

Section 03　プログラムを途中で中断する
- ブレークポイント
- ウォッチ式

**Section 04　ワークシートをユーザーインターフェース
　　　　　　　として使う**
- ボタンを押してプログラムを実行

Section 05　メッセージボックスとインプットボックス
- 処理の途中でユーザーに確認や入力を求める
- メッセージボックスの使い方
- メッセージボックスの戻り値を取得
- インプットボックスの使い方

Section 06　ワークシートイベント
● ワークシートイベントとは
● シートモジュール
● イベントの取得
● BeforeDoubleClickイベントの例

❂ この章でマスターすること ❂

7章では、実際にプログラムを作っていく上で、知っていると便利であろう実践的な技を、文法に限らず説明します。必要に応じて利用してください。

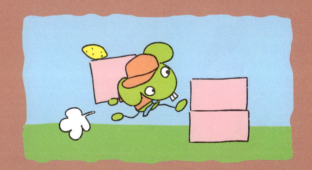

❂ Excel VBA 必須用語 ❂	❂ ステップアップ用語 ❂
Sub プロシージャの呼び出し モジュールのエクスポートと 　　インポート ブレークポイント メッセージボックス インプットボックス	ワークシートイベント

Section 01 機能別、目的別にプログラムを分割

Function プロシージャで作成した関数の呼び出し方は、4章で説明しました。実は、Sub プロシージャも呼び出すことが可能です。Section 01 では、プログラムを複数の Sub プロシージャに分割し、Sub プロシージャを呼び出す方法について説明します。

Sub プロシージャの呼び出し

　Function プロシージャで作った関数に引数を渡したり、関数を呼び出したりする方法は4章で勉強しました。それと同様に、Sub プロシージャにも引数を渡したり、呼び出したりすることができます。

　ただし、4章のSection 01でも説明しましたが、Sub プロシージャは値を返してくれません。値を渡して仕事をしてもらうだけで、戻り値は返してくれないのです。

　しかし、長いプログラムの場合は、機能別に複数の Sub プロシージャに分けて記述することで、プログラムが見やすくなります。

Sub と Function の違い

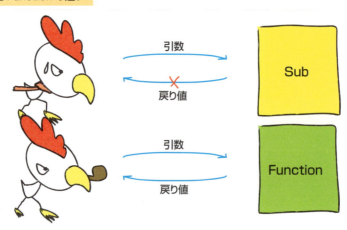

　Sub プロシージャの呼び出しは、次のように **Call** を使って行います。

```
Call プロシージャ名 ()
```
書式

引数がある場合は次のようにします。

> **書式**
> Call プロシージャ名 (引数 1, 引数 2, …)

プログラムの分割

それでは、実例で考えてみましょう。

あなたの行っている仕事が、ある条件のデータをExcelで抽出して解析し、解析結果をレポートに表示するという作業だとします。

この3つの機能をすべて1つのプロシージャに書いてしまうと、非常に長いプログラムになって、わけがわからなくなってしまいます。

Excel VBAをやっていると、いつかはそんな日が訪れるでしょう。そんなときは、こんなふうに考えてください。

「この仕事は機能で次のように大別できるぞ！」
①データの抽出
②データの解析
③レポートの作成
「じゃぁ、機能別にプログラムを分割してしまおう！」

分割は頭の整理

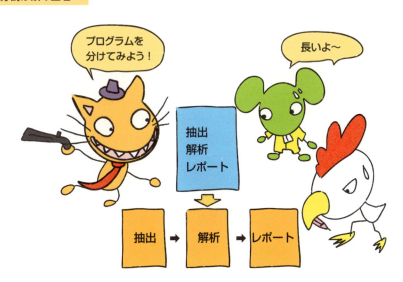

プログラムの内容は置いとくとして、分割したプログラムを次のようにCallを使って呼び出します。

▼ Call の使用例

```
Sub メイン ()
    Call データの抽出 ( 引数 )  ←──「データの抽出」プロシージャを呼び出す
    Call データの解析 ()        ←──「データの解析」プロシージャを呼び出す
    Call レポートの作成 ()      ←──「レポートの作成」プロシージャを呼び出す
End Sub


Sub データの抽出 ( 引数 )
    ・・・・
End Sub


Sub データの解析 ()
    ・・・・
End Sub


Sub レポートの作成 ()
    ・・・・
End Sub
```

「メイン」プロシージャを実行すれば、「データの抽出」「データの解析」「レポートの作成」という順番でプロシージャが実行されます。

上記の例で「データの抽出」プロシージャに引数を渡しているように、ある値を渡して、その値について処理してもらいたいときは、その値を引数として渡せばよいのです。

2章で「プロシージャはプログラムの塊だ」という説明をしました。Subプロシージャを機能別にいくつかに分けて、機能ごとに作っていくと、修正などがあってあとで読み直すときにもプログラムが読みやすくなります。

上記の例の場合、メインのプログラムを見れば、だいたいの流れがわかります。詳しく見直したいときは、そのプロシージャを見ればいいのです。

Sub は Call で呼び出すべし

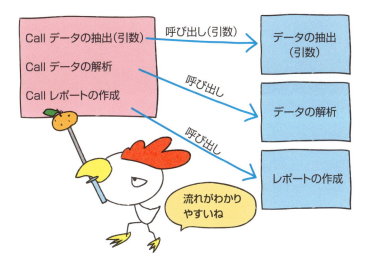

COLUMN 自分勝手なプログラム

　人が読めないプログラムのことを、筆者は「自分勝手なプログラム」と呼んでいます。時間の余裕がない中で急いでプログラムを作っていると、得てして「自分がわかればいいや」という悪魔のささやきが聞こえてきます。

　自分がわかればいいやというのは、プログラムの流れであったり、変数名であったり、コメントの有無であったりです。筆者もいく度となく、悪魔のささやきに負けました。

　何年か経って状況が変わると、そのプログラムにも変更の必要が生じます。悪魔のささやきに負けたプログラムは、自分で見てもわからないものです。ほかの人が見たらもっとわからないでしょう。

　日頃から、見やすくわかりやすいプログラムを書くよう心がけましょう。

Section 02 モジュール化

Section 01 では Sub プロシージャの呼び出しを説明しました。Section 02 では、Sub プロシージャや Function プロシージャで作ったプログラムを再利用する方法について説明します。

よく使うプログラムを使いまわす

　よく使う機能は**モジュール化**しておきましょう。よく使う機能を機能別・目的別にモジュールにまとめ、そのモジュールを保存しておけば、あとでほかのプログラムでも使うことができます。

　2章で、「モジュールとは**プログラムという手順書を書く紙**」だと説明しました。よく使いそうな手順書は、コピーしておいていろんな手順書に使いまわすというイメージです。

使いまわすべし

モジュールにまとめる

まずは、よく使うプログラムを機能別・目的別に1つのモジュールにまとめます。今回は、5章のSection 01で紹介した「値の入っている最終行・最終列を求める」プログラムを関数にしたものをモジュール化することとします。

> **Point**
> この機能は非常によく使うので、モジュール化することをおすすめします。

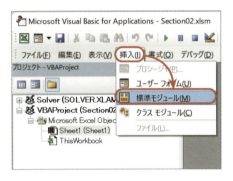

VBEの[挿入]メニューをクリックして[標準モジュール]を選択します。

標準モジュール（Module1）が追加されるので、そこに最終行・最終列を求めるFunctionプロシージャを記述します。

▼記述するプログラム（chap07/Section02.xlsmの「Module1」）

```
' 値が入力されているセルの最終の行番号を戻り値として返す
' sheet： ワークシートオブジェクト
' col： 最終行を求める列の番号
Function LastRow(sheet As Worksheet, col As Integer)
    LastRow = sheet.Cells(sheet.Rows.Count, col).End(xlUp).Row
End Function

' 値が入力されているセルの最終の列番号を戻り値として返す
' sheet： ワークシートオブジェクト
' row： 最終列を求める行の番号
Function LastCol(sheet As Worksheet, row As Long)
    LastCol = sheet.Cells(row, sheet.Columns.Count).End(xlToLeft).Column
End Function
```

モジュールのエクスポート

次に、標準モジュールをファイルとして保存します。
標準モジュールをファイルとして保存することを**エクスポート**といいます。

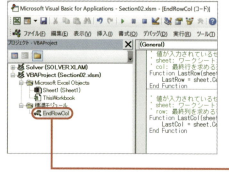

標準モジュールに名前を付けます。プロジェクトエクスプローラーで、Function プロシージャを記入した標準モジュールを選択し、プロパティウィンドウのオブジェクト名を変更します。ここでは「EndRowCol」としておきましょう。

1 オブジェクト名を変更

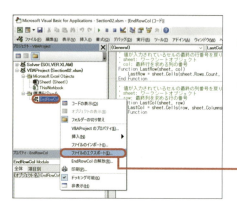

プロジェクトウィンドウで、「EndRowCol」を選択して右クリックし、[ファイルのエクスポート] を選択します。

2 [ファイルのエクスポート] を選択

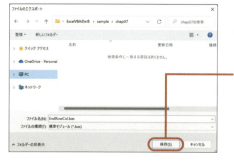

保存場所を選択し、[保存] をクリックします。

3 [保存] をクリック

これでエクスポート完了です。ファイルの拡張子は「.bas」です。

モジュールのインポート

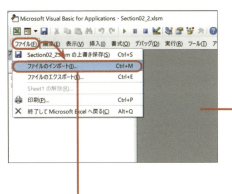

それでは、新しくブックを作成し、VBE を開いてください。
ここではマクロ有効ブック「Section02_2.xlsm」を作成しています。

★1 VBE を開く

VBE のメニューバーで [ファイル] ➡ [ファイルのインポート] を選択してください。

★2 [ファイルのインポート] を選択

先ほど「EndRowCol」を保存したフォルダーに移動し、「EndRowCol.bas」を選択して [開く] をクリックします。プロジェクトエクスプローラーに「EndRowCol」が追加されたことを確認してください。

★3 「EndRowCol」を選択して [開く] をクリック

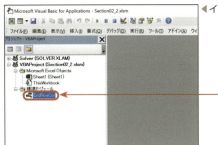

◀インポート後の画面

モジュールがインポートされる

これで、新しく作ったブックでも、最終行・最終列を求めるFunctionプロシージャが使えるようになりました。それでは、インポートした標準モジュールを使ったプログラムの実例を見てみましょう。

インポートした標準モジュールの中にプログラムを書いてもよいのですが、機能別にモジュールを分けるという観点から、新たにモジュールを追加して、追加した標準モジュールにプログラムを書くようにしましょう。

▼インポートしたモジュール「EndRowCol」のLastRowを使用する
（chap07/Section02_2.xlsmの「Module1」）

```
Sub 計算()
    Dim s As Worksheet
    Set s = ThisWorkbook.Worksheets(1)
    
    ' 行2から値が入力されている行まで繰り返す
    For i = 2 To LastRow(s, 1)
        ' セル(行i, 列1)とセル(行i, 列2)の合計をセル(行i, 列3)に格納
        s.Cells(i, 3) = s.Cells(i, 1) + s.Cells(i, 2)
    Next i
End Sub
```

▼実行前　▼実行後

▼インポートしたモジュール「EndRowCol」のLastColを使用する
（chap07/Section02_2.xlsmの「Module1」）

```
Sub 最終列()

    Dim s As Worksheet
    Dim 最終列番号 As Integer
    Set s = ThisWorkbook.Worksheets(1)


    ' 行2の値が入力されている最終列番号を取得する
    最終列番号 = LastCol(s, 2)


    ' メッセージボックスに最終列番号を表示
    MsgBox (最終列番号)

End Sub
```

▼実行例

Section 03 プログラムを途中で中断する

プログラムを作っていると、処理の途中で変数に思ったとおりの値が入っているか確認したくなります。Section 03 では、プログラムを途中で中断して変数に入っている値を確認する方法を説明します。

ブレークポイント

処理の途中で、変数に思ったとおりの値が入っているかどうか確認するため、プログラム実行中に指定した場所で処理を一時中断させることができます。プログラムを中断させる場所を**ブレークポイント**と呼びますが、自分で好きな場所に設定できます。

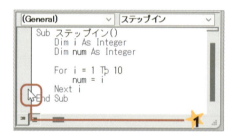

プログラムを中断したい場所を決めます。この例では「Next i」の部分で中断することとします。プログラムを中断したい場所で、コードウィンドウの左側のグレーの帯をクリックします。

クリックすると、茶色の丸印が表示され、中断したい行が茶色の表示になり、ブレークポイントが設定されます。

 ブレークポイントが設定された

実行ボタン▶をクリックしてプログラムを実行すると、ブレークポイントの行が黄色で表示されます。
これは「プログラムがいまここで中断していますよ」ということを表しています。

 ブレークポイントの行が黄色く表示される

 プログラムがブレークポイントで中断している状態で、マウスポインターを変数や配列の上に移動させると、図のように変数や配列にどんな値が入っているか確認できます。

確認後、再度、実行ボタンを押せば処理は再開されます。

 変数や配列の値が確認できる

ウォッチ式

確認したい変数が複数ある場合は、それらの変数をウォッチ式に追加しておくと、ウォッチウィンドウというウィンドウに変数とその値が一覧表示されるので便利です。

▼ウォッチ式の追加

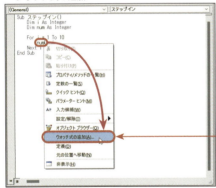

ウォッチ式に追加するには、マウスポインターを変数の位置に移動し、右クリックで［ウォッチ式の追加］を選択します。

 変数の位置で右クリックして［ウォッチ式の追加］を選択する

▼ウォッチ式の追加

[ウォッチ式の追加] ダイアログが表示されるので、このままの状態で [OK] ボタンをクリックします。

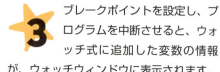

2 [OK] ボタンをクリック

3 ブレークポイントを設定し、プログラムを中断させると、ウォッチ式に追加した変数の情報が、ウォッチウィンドウに表示されます。

▼ウォッチウィンドウ

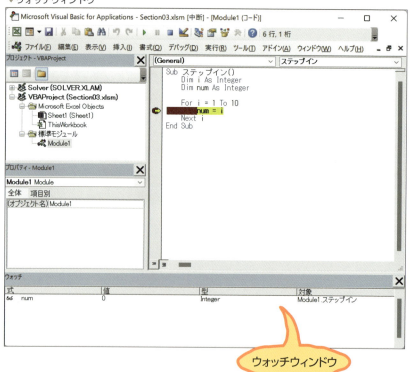

ウォッチウィンドウ

Section 04 ワークシートをユーザーインターフェースとして使う

Excel では、ワークシートを入力用のフォーム（ユーザーインターフェース）として使用することができます。Section 04 では、ワークシートをユーザーインターフェースとして使うためのテクニックについて説明します。

ボタンを押してプログラムを実行

ワークシート上にボタンを配置し、そのボタンを押すとプログラムが動くようにできます。ここでは、6章のSection 01で作成したプログラム（マクロ）を例にして解説します。

▼ボタンの作成

1 [開発]タブの[挿入]アイコンをクリックし、フォームコントロールの[ボタン]をクリックし、ワークシート上でボタンを配置したい場所をクリックします。

1 [ボタン]をクリック

▼[マクロの登録]ダイアログ

2 [マクロの登録]ダイアログが表示されるので、実行したいプログラムのプロシージャ名を選択し、[OK]ボタンをクリックしてください。

2 [OK]ボタンをクリック

▼ボタンのテキストの編集

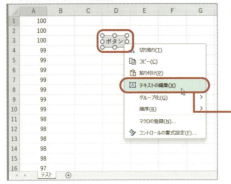

⭐3 ワークシート上にボタンが配置されるので、このボタンを右クリックし、[テキストの編集]をクリックして、ボタンに表示される文字を好きな文字に変更してください。

3 [テキストの編集]をクリック

▼マクロの実行

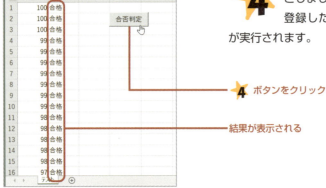

⭐4 ボタン（ここでは「合否判定」としました）をクリックすると、登録したプログラム（マクロ）が実行されます。

4 ボタンをクリック

結果が表示される

Section 05 メッセージボックスとインプットボックス

Section 05では、プログラム実行中に人間の判断や入力が必要な場合に使用する、メッセージボックスとインプットボックスについて説明します。

処理の途中でユーザーに確認や入力を求める

　いままで、プログラムを書くことによって自動で処理ができると説明してきました。しかし、すべてが自動となるわけではありません。

　例えば、予想外なことが発生して処理を続けるかどうかの判断が必要になったり、処理の途中で何らかの入力が必要になったときは、人間がコンピューターに指示を与えなければなりません。そのような場合には、メッセージボックスやインプットボックスを使います。

ときには人間の判断が必要なり

メッセージボックスの使い方

　メッセージボックスとは、処理中にメッセージを表示したい場合や、人間の判断を求めたい場合に使用するフォームです。

　単にメッセージを表示したい場合は、次のようにすれば、メッセージボックスを表示することができます。

> Msgbox (メッセージ内容)　　書式

"メッセージです"と表示したい場合は、次のように記述します。

> MsgBox (" メッセージです ")

▼メッセージボックス

この文が実行されると、左図のように表示されます。
　また、次のように引数を渡すことで、メッセージボックスの種類やタイトルを設定できます。

> 変数= Msgbox (メッセージ内容 , メッセージボックスの種類 , タイトル)　　書式

　MsgBox関数でメッセージ以外の引数を指定した場合は、MsgBoxが返す戻り値を格納するための変数を用意することが必要です。戻り値の内容は次項で説明します。
　「メッセージボックスの種類」という引数には、下表のような定数を選択できます（定数はほかにもありますが、ここでは代表的なものだけを示しています）。

定数	内容
vbOKOnly	[OK]ボタンのみを表示。（既定値）
vbOKCancel	[OK]ボタンと[キャンセル]ボタンを表示。
vbAbortRetryIgnore	[中止]、[再試行]、[無視]の3つのボタンを表示。
vbYesNo	[はい]ボタンと[いいえ]ボタンを表示。
vbYesNoCancel	[はい]、[いいえ]、[キャンセル]の3つのボタンを表示。
vbRetryCancel	[再試行]ボタンと[キャンセル]ボタンを表示。
vbCritical	警告メッセージアイコンを表示。
vbQuestion	問い合わせメッセージアイコンを表示。
vbExclamation	注意メッセージアイコンを表示。
vbInformation	情報メッセージアイコンを表示。

使い方は次のようになります。メッセージボックスの種類によって、ボタンの種類や数、表示されるアイコンが異なります。状況に応じてメッセージボックスを使い分けましょう。

```
response = MsgBox("vbOKOnlyです", vbOKOnly, "メッセージ")
response = MsgBox("vbOKCancelです", vbOKCancel, "メッセージ")
response = MsgBox("vbYesNoです", vbYesNo, "メッセージ")
```

```
response = MsgBox("vbCriticalです", vbCritical, "メッセージ")
response = MsgBox("vbExclamationです", vbExclamation, "メッセージ")
response = MsgBox("vbInformationです", vbInformation, "メッセージ")
```

メッセージボックスの戻り値を取得

メッセージボックスのどのボタンが押されたかを、戻り値として取得できます。

定数	押されたボタン
vbOK	OK
vbCancel	キャンセル
vbAbort	中止
vbRetry	再試行

定数	押されたボタン
vbIgnore	無視
vbYes	はい
vbNo	いいえ

▼メッセージボックスの戻り値を利用して処理を行う例
（chap07/Section05.xlsm の「Module1」）

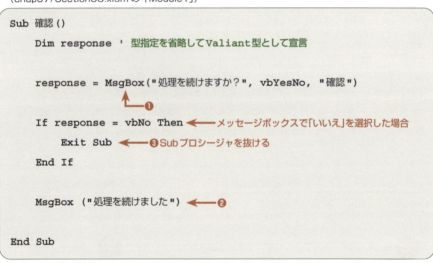

この例では、❶のメッセージボックスで[はい]を選択すると、処理が続行されて❷のメッセージボックスが表示されます。❶のメッセージボックスで[いいえ]を選択すると、❸のExit文が実行されてプロシージャが終了します。

インプットボックスの使い方

インプットボックスとは、文字列を入力できるフォームです。

> **書式**
> 変数=InputBox(メッセージ内容, タイトル, 初期値〔省略可〕)

▼インプットボックスの使用例（chap07/Section05.xlsmの「Module2」）

```
Sub インプットボックス()
    Dim 生産量 As Integer
    ' インプットボックスの初期値を500に設定(省略可)
    生産量 = InputBox("値を入力してください", "10月生産量", 500)
    ' 生産量の値をメッセージボックスに表示
    MsgBox ("生産量 = " & 生産量)
End Sub
```

▼インプットボックス

　この例では、生産量を入力するためにメッセージボックスを使っており、初期値として"500"が入力されています。

初期値が設定されているけど、もちろん違う値を入力することもできるよ

Section 06 ワークシートイベント

この Section では、「ワークシート上でのダブルクリックなどのイベント発生時に処理を行いたい」という場合に使用するワークシートイベントについて説明します。

ワークシートイベントとは

> **Point**
> ワークシートイベントとは、右クリックやダブルクリックなどワークシート上で起きる様々な出来事のことです。

例えば、

- あるセルをダブルクリックしたら、そのセルの色を赤色にしたい。
- 右クリックしたら、メニューを表示したい。
- あるセルの値が変わったら、ほかのセルの値も変えたい。

など、ワークシートイベントを使いこなせれば、ワークシートがユーザーインターフェースとして充実したものになります。

ワークシートイベント

シートモジュール

▼プロジェクトウィンドウ

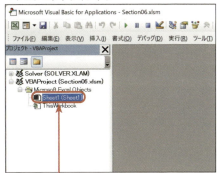

シートモジュールをダブルクリックする

ワークシートイベントはシートモジュールで取得します。VBEのプロジェクトエクスプローラーのMicrosoft Excel Objectsに、「Sheet1」のようにシート名の付いたモジュールがあります。これがシートモジュールです。シートモジュールをダブルクリックすると、シートモジュールが開きます。

イベントの取得

▼オブジェクトボックス

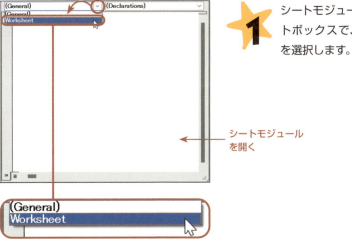

シートモジュールを開く

1 シートモジュールのオブジェクトボックスで、[Worksheet]を選択します。

▼プロシージャボックス

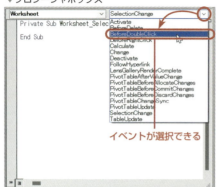

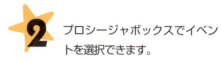

プロシージャボックスでイベントを選択できます。

イベントには次のようなものがあります。

▼イベントの種類

イベント	どんなときに発生するか
BeforeDoubleClick	ダブルクリックしたとき。
BeforeRightClick	右クリックしたとき。
Activate	ワークシートがアクティブになったとき。
Deactivate	ワークシートがアクティブでなくなったとき。
Change	セルの値がユーザーや外部リンクによって変更されたとき。
Calculate	ワークシートが再計算されたとき。
FollowHyperlink	ハイパーリンクをクリックしたとき。
PivotTableUpdate	ピボットテーブルが更新されたとき。
SelectChange	選択範囲が変更されたとき。

SelectionChange イベントは「選択範囲が変更されたとき」とありますが、選択範囲の値が変更された場合ではなく、例えば「セル (1,1) を選択していた状況でセル (2,2) を選択した」場合のように、その時点で選択されていた範囲とは異なる範囲を選択した場合に発生するイベントです。

BeforeDoubleClick イベントの例

▼ BeforeDoubleClick イベントの使用例

```
Private Sub Worksheet_BeforeDoubleClick( _  ※
    ByVal Target As Range, Cancel As Boolean)
    Dim R As Long
    Dim C As Long

    R = Target.Row        ←ダブルクリックしたセルの行を取得
    C = Target.Column     ←ダブルクリックしたセルの列を取得

    Cells(R, C).Interior.Color = vbRed

End Sub
```

▼実行前 ▼実行後

ダブルクリックしたセルに色が付いた

Targetという引数は、ダブルクリックしたセルを示しています。

▼ダブルクリックしたセルの行を取得できる

変数＝Target.Row

▼ダブルクリックしたセルの列を取得できる

変数＝Target.Column

※ _（半角スペース＋アンダースコア）は次行に続くことを示す行継続文字のこと。

Chapter 8

簡単プログラミング

Section 01　はじめに
- 日本語がいいよね。覚えたくないよね。
- 入力補助機能
- 便利モジュールのインポート
- 便利モジュールを使うための魔法の命令
- 半角のドット（.）を打てば候補が出てくる
- 半角括弧で必要引数の表示
- 最後に「代入」「呼び出し」
- グループと命令の一覧

Section 02　便利モジュールを使った
　　　　　　　プログラミング例
- 集計業務を自動化する
- ステップ1：シートを初期化（クリアして項目を記入）
- ステップ2：複数のワークブックの内容を1つのシートにまとめる
- ステップ3：1つのシートにデータをまとめる
- ステップ4：データの整理
- ステップ5：集計項目の作成（データから重複を削除する）
- ステップ6：集計
- ステップ7：表をクリア

- ●ステップ8：表に書き込み
- ●新しいファイルとして保存する
- ●Callですべてを呼び出す

この章でマスターすること

　7章までで、Excel VBAの文法や実際にプログラムを作る際のテクニックなどを説明してきました。そうはいっても、実際に使えるものを作るにはこれらのことをうまく組み合わせなければいけませんし、VBAでどこまでできるのかもわからない状態でいろんなことを調べる必要も出てくるでしょう。8章では、事務作業で使う頻度の高い命令を日本語で呼び出せるようにしたモジュールを使って、簡単に実践的なプログラムを作る方法を説明します。

Section 01 はじめに

本章で扱う「便利モジュール」の概要を説明します。便利モジュールは筆者が作ったもので、よく使う命令を日本語で呼び出せるようにしたものです。

日本語がいいよね。覚えたくないよね。

　業務などでVBAを使いたい方は、7章までの内容を組み合わせてアルゴリズムを考えれば、様々な機能を持ったプログラムを作ることができます。でも、ちょっと複雑ですね。複雑さを軽減するためにExcelの機能をうまく利用するという手段があります。簡単な例でいうと、合計を求めるプログラムはFor文を使えば簡単に作ることができますが、5章で説明したようなワークシート関数のSUM関数を使えば、1行で済んでしまいます。VBAで効率的にプログラムを書くには、このような機能を利用してプログラムを短くするという手段は非常に有効です。しかし、初心者の方、特に英語が苦手な方にとっては、機能が多すぎて覚えられない、調べた時点で意味がわからない、調べて使ってみても時間が経つと意味がわからなくなるということも多いようです。

　本章で扱う「便利モジュール」は筆者が作ったものですが、できるだけ日本語でプログラムを書けるように工夫し、覚えることを少なくするために「ドット (.) を入力すれば命令の候補が出てくる」ようになっています。つまり、覚えることが少なく、日本語なので意味も理解しやすいものになっています。3章で扱った基本文法と、4章Section 01で扱った引数、戻り値の概念さえわかれば、かなり簡単にプログラムを作ることができると思います。ただし、便利モジュールは、できるだけシンプルにするために機能を絞っており、やりたいことと便利モジュールの機能が一致しない場合はお役に立てないこともあるので、その点はご了承ください。また、便利モジュールはあくまで「簡単にプログラムを作る」ツールですので、これをマスターしないとVBAをマスターしたことにならない、というたぐいのものではありません。

入力補助機能

1 「機能」と入力
2 ドットを入力
3 選択
4 ドットを入力
5 選択

便利モジュールのインポート

便利モジュールを使うには、ダウンロードファイルの「便利モジュール」というフォルダー内のすべて（10個）のclsファイル（拡張子「.cls」のクラスモジュールファイル）を、使用したいExcelファイルにインポートします。

7章で説明したようにVBEの［ファイル］➡［ファイルのインポート］からインポートできますし、次図のようにドラッグアンドドロップの操作でもインポートできます。

▼「便利モジュール」フォルダー以下の cls ファイルのインポート

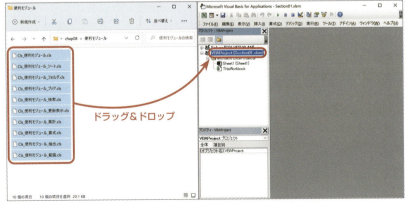

▼cls ファイルのインポート後のプロジェクトエクスプローラー

便利モジュールを使うための魔法の命令

実際に便利モジュールを使う場合は、必ず標準モジュールを作成して次の宣言をします。

> **書式**
> Public 機能 As New Cls_便利モジュール

各Excelファイルで、この宣言は1回だけにしてください。最初に作った標準モジュールの一番上に書く、という習慣を身に付けておくとよいかもしれませんね。

入力の際は、New まで入力すれば候補の一覧が出てくるので、「Cls_便利モジュール」を選択してください。clsファイルをインポートしていないと、候補も出てこないので、気を付けましょう。

▼便利モジュールを使えるようにする（chap08/Section01.xlsm の「Module1」）

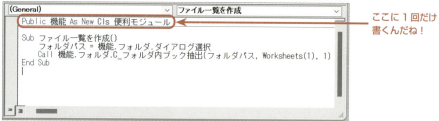

半角のドット (.) を打てば候補が出てくる

　覚えることをできるだけ減らすため、便利モジュールを使った命令を入力する際は、ドット (.) を打てば命令の候補が出てくるようになっています（全角ではなく半角で入力してください）。

　まず最初に「機能」と入力し、ドット (.) を入力します。そうすると、「シート」「ブック」などの"グループ"が表示されます。

　カーソルキーやマウスで、目的の命令が入っていそうな"グループ"を選択し、再びドット (.) を入力します。そうすると、"命令"の候補が表示されます。"命令"のマークは先ほどの"グループ"のマークとは違っていますね。緑色のマークが"命令"で、それ以外は"グループ"だと理解してください。

半角括弧で必要引数の表示

　カーソルキーやマウスで"命令"を選択します。命令を選択したあとは、半角の始め括弧「(」を入力しましょう。そうすると、その命令に必要な引数が表示されます。引数については4章で説明していますが、簡単にいうと「その命令を実行するのに必要なものを指定してあげる」というものです。

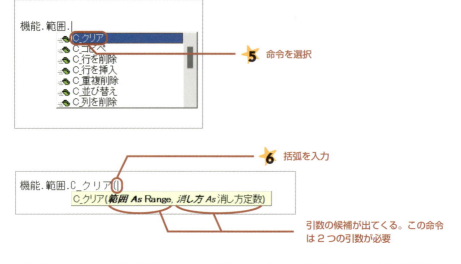

　引数で入力すべき選択肢が決まっている場合(いくつかの決まった値の中から選択しなければいけない場合)は、その選択肢が一覧表示され、選択できるようになっています。引数が複数ある場合は、半角カンマ「,」で区切って入力します。すべての引数を入力し終わったら、半角の終わり括弧「)」を入力します。

最後に「代入」「呼び出し」

便利モジュールの命令には、大きく分けて「この値、教えて」「これやって」「オブジェクトを返して」の3種類があります。この種類によって、次のような「代入」「呼び出し」作業を加えます。

❶「この値、教えて」　　　➡結果を変数に代入する
❷「これやって」　　　　　➡Callで呼び出す
❸「オブジェクトを返して」➡Setでオブジェクト変数に代入する

● **命令の名前で❶〜❸を判断**
命令の名前の先頭には次のような工夫がしてあります。

❶「この値、教えて」　　　➡アルファベット文字なし→結果を変数に代入する
❷「これやって」　　　　　➡「C_」が付いている→Callで呼び出す
❸「オブジェクトを返して」➡「S_」が付いている→Setでオブジェクト変数に代入する

「C_」の命令を使うにはCallがいる、「S_」の命令を使うにはSetがいる、それ以外は「＝」で変数に代入する、というふうに覚えましょう。

▼例
```
最終行 ＝ 機能.範囲.最終行取得（●，■）
Call 機能.範囲.C_並べ替え（●，■，▲，○，□，▽）
Set 範囲 ＝ 機能.範囲.S_範囲指定_四角（●，■）
```
覚えやすいね！

先ほどまで説明してきた例では、命令のC_クリアに "C_" が付いているので、Callを付けることになります。

```
Call 機能.範囲.C_クリア（Cells(1，2)，書式は残す）
```

11 C_ が付いているので Call を付ける！

間違えて入力した場合などは、ドットや括弧を入力し直すと、また候補が出てくるよ！

グループと命令の一覧

　便利モジュールの命令の一覧は次表のようになります。繰り返しになりますが、正確に覚える必要はありません。「こんな機能があったな」とぼんやりと覚えておいてください。具体的な使い方については、ダウンロードファイルの「便利モジュール例一覧.xlsm」の標準モジュールをご参照ください。

グループ	命令	どんなときに使うか
機能		
範囲		
	最終行取得	何行目までデータが入っているか知りたい
	最終列取得	何列目までデータが入っているか知りたい
	C_コピペ	指定した範囲をコピペしたい
	C_並べ替え	指定した範囲を並べ替えたい　キーは3つまで
	C_重複削除	指定した範囲の重複を削除したい
	C_クリア	指定した範囲をクリアしたい
	C_行を挿入	行を挿入したい
	C_列を挿入	列を挿入したい
	C_行を削除	行を削除したい
	C_列を削除	列を削除したい
	S_範囲指定_四角	左上と右下のセルによって範囲を指定したい
	S_範囲指定_行	行を範囲として指定したい　複数行指定可能
	S_範囲指定_列	列を範囲として指定したい　複数列指定可能
	S_範囲指定_シート全体	シート内のすべてのセルを範囲として指定したい
	S_範囲指定_使用範囲	シート内で使用されている範囲を取得したい
シート		
	カウント	ワークブック内のワークシート数を知りたい
	C_移動	ワークシートを移動したい
	C_削除	ワークシートを削除したい
	C_コピー	ワークシートをコピーしたい
	S_作成	ワークシートを作成したい
	S_コピーを新規ブックに作成	ワークシートを新規ブックにコピーしたい
ブック		
	ダイアログ選択	ダイアログでワークブックを指定したい
	C_閉じる	ワークブックを閉じたい
	C_上書き保存	ワークブックを上書き保存したい
	C_名前を付けて保存	ワークブックを名前を付けて保存したい

188

グループ	命令	どんなときに使うか
	S_作成	ワークブックを新規作成したい
	S_開く	ワークブックを開きたい
フォルダ		
	ダイアログ選択	ダイアログでフォルダーを指定したい
	C_フォルダ内ブック抽出	指定フォルダー内のワークブックを抽出したい
検索		
	行取得	検索し、見つかったセルが何行目か知りたい
	列取得	検索し、見つかったセルが何列目か知りたい
書式		
	C_背景色設定	セルの背景色を設定したい
	C_罫線を引く	罫線を引きたい
	C_罫線を引く_位置指定	上側だけなど位置を指定した罫線を引きたい
	C_フォント色	フォントの色を設定したい
	C_フォントサイズ	フォントのサイズを設定したい
	C_フォント太字	フォントを太字に設定したい
集計		
	合計	指定範囲の合計を求めたい　SUM関数
	平均	指定範囲の平均を求めたい　AVERAGE関数
	条件付き合計	条件を指定して合計を求めたい　SUMIFS関数、条件は3つまで
	条件付き平均	条件を指定して平均を求めたい　AVERAGEIFS関数、条件は3つまで
	条件付きカウント	条件を満たすセル数を求めたい　COUNTIFS関数、条件は3つまで
抽出		
	C_条件で抽出	条件に合致するデータを抽出、アドバンスドフィルター
更新表示		
	C_自動計算	数式の自動計算設定をする　オン、オフ
	C_スクリーン更新	スクリーンの更新設定をする　する、しない
	C_警告表示	警告の表示設定をする　する、しない
	C_ステータスバー初期化	ステータスバー表示を使う場合の初期化
	C_ステータスバー表示	ステータスバーに進捗などを表示
	C_ステータスバー後処理	ステータスバーを使ったあとの処理

Section 02 便利モジュールを使ったプログラミング例

便利モジュールと基本文法を使った VBA プログラミングの実例を紹介します。

集計業務を自動化する

　それでは、便利モジュールと基本的な文法を使ってプログラムを作ってみましょう。次のような、実際の業務でよくありそうな集計業務をプログラムで自動化してみます。

●お題
❶ 事業所ごとの2年分の出荷履歴（2020/1/1～2021/12/31）ファイルがある。
❷ 全事業所の出荷履歴ファイルを1つのシートにまとめる。
❸ 2020年度（2020/4/1～2021/3/31）のデータだけを抽出する。
❹ 取引先ごとの月別出荷量を集計する。
❺ 集計結果を決まったフォーマット（表）に書き写す。
❻ ❺で作成した表を新しいブックとして保存する。

　以後で紹介する計算プロセスは、各ステップでシートに書き込み、小刻みなプログラムになっているので、プログラミングに慣れている人にとってはまどろっこしく感じるかもしれません。しかし、少しずつ出力していった方が、間違いがあった場合にどこで間違っているかを検証しやすい上に、挫折することも少ないので、慣れないうちはあまり大きなプログラムを作らない方が賢明です。また、最初のうちはプログラムを読んでも括弧の中（引数）が何を意味しているかわかりづらいかもしれませんが、前述のとおり、実際に入力する際は「どんな引数を入力すべきなのか」という情報が表示されるのでご安心ください。

ステップ1：シートを初期化（クリアして項目を記入）

　全事業所のデータをWorksheets("データ")にまとめたいのですが、前回のデータが残っているかもしれないので、まずはWorksheets("データ")のデータをクリアしましょう。
　クリアの際に全部クリアするなら楽ですが、1行目の見出し（タイトル）だけは残したいですね。そのような場合のテクニックとして、次の3つの方法が挙げられます。ちなみに、筆者は❸の方法をよく使います。

❶シート内全体をクリアして、1行目に見出しを入力
❷クリアしたい部分だけクリア
❸原本のシートからシート全体をコピー……見出し行だけ記入した原本のシートを用意しておき、原本シート全体をコピーしてクリアしたいシートに貼り付けると、見出し行だけのシートになります。例ではWorksheets("org")が原本シートになります。

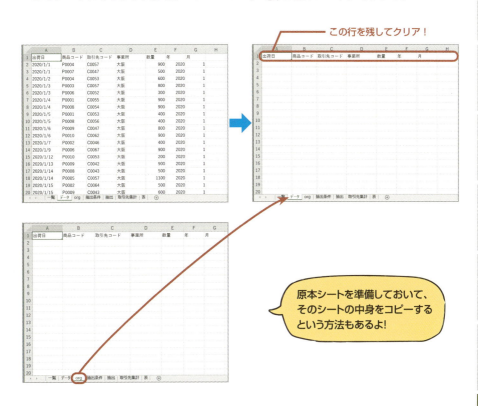

● 事前準備

プログラムを作成にあたって、新規のマクロ有効ブック（ここでは「chap07/Section02.xlsm」を作成し、「Module1」を追加します。ブックと同じフォルダーにclsファイルが格納された「便利モジュール」をコピーしておきましょう。

以上の作業が済んだら、VBEで「Module1」を開いて以下のコードを記述します。

▼便利モジュールを使えるようにする（chap07/Section02.xlsm の「Module1」）

```
Public 機能 As New Cls_便利モジュール
```

続いて、シートをクリアする3パターンのプログラム（マクロ）を「Module1」に記述します。

❶シート内全体をクリアして、1行目に見出しを入力するプログラムです。

```
' "データ"シートをすべてクリアして見出しを追加する
Sub シートを初期化1()
    Dim 指定範囲 As Range ' セル範囲を代入するオブジェクト変数
    ' "データ"シートのすべてのセルを選択(セル範囲として)
    Set 指定範囲 = 機能.範囲.S_範囲指定_シート全体(Worksheets("データ"))
    ' 選択されたセル範囲の値だけをクリアする
    Call 機能.範囲.C_クリア(指定範囲, 書式は残す)
    ' 1行目の1～7列に見出しを入力
    Worksheets("データ").Cells(1, 1) = "出荷日"
    Worksheets("データ").Cells(1, 2) = "商品コード"
    Worksheets("データ").Cells(1, 3) = "取引先コード"
    Worksheets("データ").Cells(1, 4) = "事業所"
    Worksheets("データ").Cells(1, 5) = "数量"
    Worksheets("データ").Cells(1, 6) = "年"
    Worksheets("データ").Cells(1, 7) = "月"
End Sub
```

シート全体のセル範囲を指定範囲に代入

1行目に見出しを入力

❷クリアしたい部分だけクリアするプログラムです。

```
Sub シートを初期化2() ' セル範囲を代入するオブジェクト変数
    Dim 指定範囲 As Range
    ' "データ"シートの1列目の最終行を求める
    最終行 = 機能.範囲.最終行取得(Worksheets("データ"), 1 )
    ' "データ"シートの2行目から最終行までのセル範囲を指定範囲にセット
    Set 指定範囲 = 機能.範囲.S_範囲指定_行(Worksheets("データ"), 2, 最終行)
    ' 選択されたセル範囲の値だけをクリアする
    Call 機能.範囲.C_クリア(指定範囲, 書式は残す)
End Sub
```

"データ"シートの1列目の最終行を求める

このシートの2行目から最終行までを指定範囲に代入

指定範囲をクリア（書式は残す）

❸見出し行だけ記入した原本のシートを用意しておき、コピーするプログラムです。

```
Sub シートを初期化3()
    Dim 指定範囲 As Range ' セル範囲を代入するオブジェクト変数
    ' "org"シートのすべてのセルを指定範囲にセット
    Set 指定範囲 = 機能.範囲.S_範囲指定_シート全体(Worksheets("org"))
    ' 選択されたセル範囲をコピーして"データ"シートの
    ' (1行,1列)を基点にしてペーストする
    Call 機能.範囲.C_コピペ(指定範囲, Worksheets("データ").Cells(1, 1), 値貼付)
End Sub
```

この範囲を　　　この場所に　　　値貼付を指定して値をペースト

ステップ2：複数のワークブックの内容を1つのシートにまとめる

次は、全事業所のデータを1つのシートにまとめるためのルールを決めましょう。事業所のワークブックがいろんな場所に散らばっていると処理がしづらいので、1つのフォルダーにまとめましょう。プログラムとしては、ダイアログを使ってフォルダーを指定して、そのフォルダーにあるワークブックの一覧表をWorksheets("一覧")というシートに作り、その一覧表にあるワークブックを順番に開いてコピーしていく、という流れにします。

まずは、ワークブックの一覧表を作るプログラムを作ってみましょう。プログラム中の「機能.フォルダ.ダイアログ選択」はダイアログでフォルダーを選択する命令、「機能.フォルダ.C_フォルダ内ブック抽出」は指定したフォルダーの中のExcelファイルをすべて抽出して、指定したシートの指定した列に書き込む命令です（フォルダーの直下にあるExcelファイルのみが対象となります）。

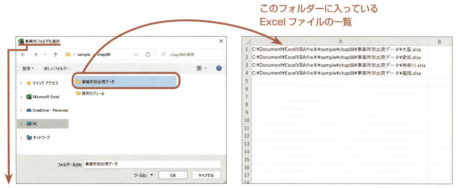

このフォルダーに入っているExcelファイルの一覧

Ⓐ次ページへ

▼事業所のワークブックの一覧を出力するプログラム

```
Sub ファイル一覧を作成()
    ' 事業所のワークブックが格納されたフォルダーのパスを代入する変数
    Dim フォルダパス As String
    ' ダイアログを表示して、事業所のワークブックが格納されたフォルダーのパスを取得
    フォルダパス = 機能.フォルダ.ダイアログ選択("事業所フォルダを選択")
    ' 選択されたフォルダー内のワークブックのパスを"一覧"シートの1列目に出力する
    Call 機能.フォルダ.C_フォルダ内ブック抽出(フォルダパス, Worksheets("一覧"), 1)
End Sub
```

Ⓐ ダイアログのタイトル

このシートの1列目に抽出

ステップ3：1つのシートにデータをまとめる

　続いて、Worksheets("一覧")の中にパスが登録されているワークブックを順番に開いて、その中にあるデータをThisWorkbook.Worksheets("データ")に貼り付けていきます。注意が必要なのは、ほかのワークブックを開くと2つのワークブックが開いた状態になることです。この状態でWorksheets("データ")とだけ指定すると、アクティブになっているワークブック（今回は開いたワークブック）にそのシートを探しに行くので、エラーになります。そのため、シートだけでなく、ワークブックも指定する必要があります（ThisWorkbookはプログラムを実行しているワークブックのことです）。

　各事業所のワークブックはワークシートが1つしかないですが、シート名が各ブックで異なるので、Worksheets(1)というように一番左のワークシートを選択するようにします。

▼すべての事業所のワークブックのデータを"データ"シートにまとめるプログラム

```vba
Sub 1つのシートにまとめる()

    Dim 指定範囲 As Range

    Dim b As Workbook

    Dim s As Worksheet

    Dim まとめシート As Worksheet

    Dim データ行 As Long, 貼付行 As Long, ファイルパス As String
    ' プログラムを実行しているブックの"データ"シートをオブジェクト変数に代入

    Set まとめシート = ThisWorkbook.Worksheets("データ")
    ' プログラムを実行しているブックの"一覧"シートにおいて、
    ' ファイルパスが入力されている最終行を取得

    最終行 = 機能.範囲.最終行取得(ThisWorkbook.Worksheets("一覧"), 1)
    ' ファイルパスが入力されている1行目のセルから最終行まで繰り返す

    For i = 1 To 最終行
        ' まとめシート("データ"シート)の入力済みの最終行から1つ下の行番号を取得

        貼付行 = 機能.範囲.最終行取得(まとめシート, 1) + 1
        ' "一覧"シートのi行のファイルパスを取得

        ファイルパス = ThisWorkbook.Worksheets("一覧").Cells(i, 1)
        ' ファイルパスに格納されているブックを開いてオブジェクト変数に代入

        Set b = 機能.ブック.S_開く(ファイルパス)
        ' 開いたワークブックの左端のシートをオブジェクト変数に代入

        Set s = b.Worksheets(1)
        ' 開いたブックの左端のシートの入力済み最終行を取得

        データ行 = 機能.範囲.最終行取得(s, 1)
        ' 開いたワークブックの左端のシートの(2行,1列)から
        ' (データ入力済最終行,5列)までをセル範囲として設定

        Set 指定範囲 = 機能.範囲.S_範囲指定_四角( _
                s.Cells(2, 1), s.Cells(データ行, 5))
        ' 開いたブックの左端のシートの指定範囲のセルをコピーして
        ' プログラム実行中のブックの"データ"シートにセル情報すべてをペースト
        ' ペーストする位置はデータ入力済みの次行の1列目のセルを基点にする

        Call 機能.範囲.C_コピペ(指定範囲, まとめシート.Cells(貼付行, 1), 値貼付無)
```

プログラムが動いているワークブックの
WorkSheets("データ")をまとめシートに代入

データを貼り付ける行はまとめシートの最終行の1つ下の行

ワークブックを開き、
そのブックをbに代入

開いたワークブックの
一番左のシートをsに代入

sの1列目の最終行を取得

左上のセル

右下のセル

データが入っている範囲を指定

セルの値と書式を
そのままペースト

195

```
        ' 開いたブックを保存しないで閉じる
        Call 機能.ブック.C_閉じる(b, 保存しない) ←──┐
    Next i                                        開いたファイルを
End Sub                                           保存せずに閉じる
```

ステップ4：データの整理

Worksheets("データ")にまとめられたデータを整理していきます。あとあとの集計を単純にするために、1列目の日付のデータをもとに、6列目に年、7列目に月を記入します。

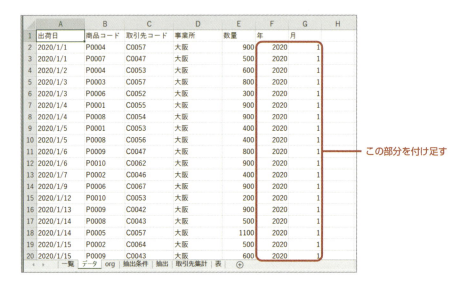

この部分を付け足す

▼ "データ"シートの「出荷日」の年と月を抽出して専用のセルに入力するプログラム

```
Sub 年月を記入()
    Dim 最終行 As Long
    ' "データ"シートの1列目の入力済み最終行を取得
    最終行 = 機能.範囲.最終行取得(Worksheets("データ"), 1)
    ' "データ"シートの2行目から入力済み最終行まで繰り返す
    For i = 2 To 最終行
        ' "データ"シートの(i行,1列)の値を取得
        年月日 = Worksheets("データ").Cells(i, 1)
```

```
        ' "データ"シートの(i行,1列)の年の部分を抽出して(i行,6列)のセルに入力
        Worksheets("データ").Cells(i, 6) = Year(年月日)
        ' "データ"シートの(i行,1列)の月の部分を抽出して(i行,7列)のセルに入力
        Worksheets("データ").Cells(i, 7) = Month(年月日)
    Next i
End Sub
```

Year / Month → VBAの関数

● 年度データの抽出（アドバンスドフィルター）

Worksheets("データ")には2020年と2021年の全事業所の出荷データがまとめられました。ここで2020年度のデータは、2020年4月から2021年3月までのデータになります。このデータを抽出するために、Inputboxを使って年度を入力し、「機能.抽出.C_条件で抽出」という命令を使ってその年度のデータを抽出したいと思います。「機能.抽出.C_条件で抽出」は、裏でVBAのアドバンスドフィルターという機能を動かしています。抽出する条件はWorksheets("抽出条件")というシートに書き込みます。1行目が項目、2行目以降が条件になります。図のように同じ項目を横に並べるとAND条件になり、OR条件にしたい場合は条件を下に並べていきます（コラム「『C_条件で抽出』の条件設定」を参照）。

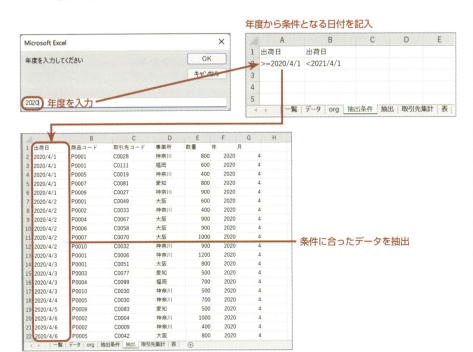

▼年度を指定してデータを抽出するプログラム

```
Sub 年度データの抽出()

    Dim b As Workbook

    Dim 指定範囲 As Range

    Dim 年度

    ' インプットボックスを表示して、抽出する年度を取得する

    年度 = InputBox("年度を入力してください")   ←――  インプットボックスを表示

    ' "抽出条件"シートのすべてのセル範囲を指定範囲にセット

    Set 指定範囲 = 機能.範囲.S_範囲指定_シート全体(Worksheets("抽出条件"))

    ' "抽出条件"シートのすべてのセルをクリアする

    Call 機能.範囲.C_クリア(指定範囲, 全て)

    ' "抽出条件"シート(1行,1列)のセルに"出荷日"と入力

    Worksheets("抽出条件").Cells(1, 1) = "出荷日"

    ' "抽出条件"シート(1行,2列)のセルに"出荷日"と入力

    Worksheets("抽出条件").Cells(1, 2) = "出荷日"

    ' "抽出条件"シート(2行,1列)のセルに1つ目の抽出条件(年度の開始日)を入力

    Worksheets("抽出条件").Cells(2, 1) = ">=" & 年度 & "/4/1"

    ' "抽出条件"シート(2行,1列)のセルに2つ目の抽出条件(翌年度の開始日)を入力

    Worksheets("抽出条件").Cells(2, 2) = "<" & (年度 + 1) & "/4/1"

    ' "抽出条件"シートに記述された条件で"データ"シートから抽出し、

    ' "抽出"シートに出力する

    Call 機能.抽出.C_条件で抽出( _

        Worksheets("抽出条件"), Worksheets("データ"), Worksheets("抽出"))

        このシートに書いてある条件で  このシートのデータを抽出し  このシートに出力する

    ' "抽出"シートの1列～7列をセル範囲として指定範囲にセット

    Set 指定範囲 = 機能.範囲.S_範囲指定_列(Worksheets("抽出"), 1, 7)

    ' "抽出"シートの1列～7列のタイトル(見出し)行以外を

    ' 出荷日←商品コード←取引先コードの優先度で並べ替える(昇順)

    Call 機能.範囲.C_並べ替え(指定範囲, タイトル有, 1, 昇順, 2, 昇順, 3, 昇順)

End Sub
```

抽出条件を
セルに入力

1列目を   2列目を   3列目を
第1キー   第2キー   第3キー
にして昇順 にして昇順 にして昇順

ステップ5：集計項目の作成（データから重複を削除する）

　2020年度のデータが抽出されたら、次は各取引先への月ごとの出荷量の合計を計算します。実際は次のステップの表に記入するプロセスと一緒に計算できるのですが、今回はわかりやすいように、一度集計してから、表に書き写すようにしてみましょう。その際、Worksheets("取引先集計")のデータに含まれる、取引先コード、年、月の組み合わせで重複を削除して、その組み合わせを集計項目としたいと思います。まずは集計項目の作成からやってみましょう。

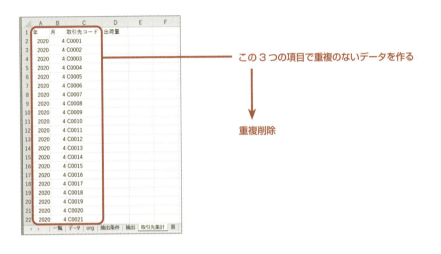

▼取引先、年、月の組み合わせで重複を取り除くプログラム

```
Sub 取引先集計項目を作成()
    Dim 指定範囲 As Range
    Dim s As Worksheet
    ' "取引先集計"シートをオブジェクト変数に代入
    Set s = Worksheets("取引先集計")

    ' "取引先集計"シートのすべてのセル範囲を指定範囲にセット
    Set 指定範囲 = 機能.範囲.S_範囲指定_シート全体(s)
    ' "取引先集計"シートのすべてのセルをクリア
    Call 機能.範囲.C_クリア(指定範囲, 全て)
    ' "取引先集計"シートの(1行,4列)のセルに"出荷量"を入力
    s.Cells(1, 4) = "出荷量"
```

```
    ' "抽出"シートの6列(年)～7列(月)の列をセル範囲として指定範囲にセット
    Set 指定範囲 = 機能.範囲.S_範囲指定_列(Worksheets("抽出"), 6, 7)
    ' "抽出"シートの6列(年)～7列(月)の列をコピーし、
    ' "取引先集計"シートの(1行,1列)のセルを基点に貼り付け
    Call 機能.範囲.C_コピペ(指定範囲, s.Cells(1, 1), 値貼付)


    ' "抽出"シートの3列(取引先コード)の列をセル範囲として指定範囲にセット
    Set 指定範囲 = 機能.範囲.S_範囲指定_列(Worksheets("抽出"), 3)
    ' "抽出"シートの3列(取引先コード)の列をコピーし、
    ' "取引先集計"シートの(1行,3列)のセルを基点に貼り付け
    Call 機能.範囲.C_コピペ(指定範囲, s.Cells(1, 3), 値貼付)


    ' "取引先集計"シートの1列～3列(年、月、取引先コード)を
    ' セル範囲として指定範囲にセット
    Set 指定範囲 = 機能.範囲.S_範囲指定_列(s, 1, 3)
    ' 1列～3列(年、月、取引先コード)で重複する項目(行)を取り除く
    Call 機能.範囲.C_重複削除(指定範囲, タイトル有)      ← ここで重複を取り除く
    ' 1列～3列(年、月、取引先コード)のタイトル(見出し)行以外を
    ' 年←月←取引先コードの優先度で並べ替える(昇順)
    Call 機能.範囲.C_並べ替え(指定範囲, タイトル有, 1, 昇順, 2, 昇順, 3, 昇順)
End Sub
```

ステップ6：集計

　次に、Worksheets("抽出")の2020年度のデータの中から、Worksheets("取引先集計")に作成した集計項目を条件に出荷量の合計を求めたいと思います。計算には「機能.条件付集計.合計」という命令を使いますが、裏ではExcelのワークシート関数のSUMIFS関数が動いています。

WorkSheets("抽出")から、年、月、取引先コードが一致するデータの合計を求める

▼ "抽出"シートに抽出した年度のデータを"取引先集計"シートの
　取引先コード、年、月ごとに集計するプログラム

```
Sub 集計する()

    Dim s As Worksheet
    Dim 取引先コード As String, 年 As Integer, 月 As Integer
    Dim 最終行 As Long, 合計 As Long


    ' "取引先集計"シートをオブジェクト変数に代入
    Set s = Worksheets("取引先集計")


    ' "取引先集計"シートにおいてデータ入力済みの最終行を取得
    最終行 = 機能.範囲.最終行取得(s, 1)

    ' "取引先集計"シートの2行目から最終行まで繰り返す
    For i = 2 To 最終行

        年 = s.Cells(i, 1)
        月 = s.Cells(i, 2)
        取引先コード = s.Cells(i, 3)


        ' "抽出"シートの年度データから現在の行の
        ' 取引先コード、年、月に該当する数量を集計する
        合計 = 機能.集計.条件付き合計(Worksheets("抽出"), 5, 3, 取引先コード, 6, 年, 7, 月)


        ' 集計値を(I行,4列)のセルに入力する
        s.Cells(i, 4) = 合計

    Next i

End Sub
```

合計対象列 → 5
条件列1 → 3
条件1 → 取引先コード
条件列2 → 6
条件2 → 年
条件列3 → 7
条件3 → 月

ステップ7：表をクリア

　それでは、次ページの図のようなフォーマットの表に、集計結果を書き込んでいきます。表にも値が残っている可能性があるので、まずは表の中身をクリアします。14列（N列）の合計欄には数式が入っているので、クリアしないようにします。また、2行は月、1列目は取引先コードが記入されているので、これらもクリアしないようにし、Worksheets("表").Cells(3, 2)〜Worksheets("表").Cells(132, 13)の範囲をクリアすることにします。

201

取引先コードの列は残す   数式が入っている列も残す

	A	B	C	D	E	F	G	H	I	J	K	L	M	N
1	2020年度取引先別出荷量集計													
2		4	5	6	7	8	9	10	11	12	1	2	3	合計
3	C0001													0
4	C0002													0
5	C0003													0
6	C0004													0
7	C0005													0
8	C0006													0
9	C0007													0
10	C0008													0
11	C0009													0
12	C0010													0
13	C0011													0
14	C0012													0
15	C0013													0
16	C0014													0
17	C0015													0
18	C0016													0
19	C0017													0
20	C0018													0
21	C0019													0
22	C0020													0
23	C0021													0
24	C0022													0
25	C0023													0

一覧　データ　org　抽出条件　抽出　取引先集計　表　⊕

▼ "表" シートの中で、取引先コードの列と合計の列を除くセルをクリアするプログラム

```
Sub 表をクリア()

    Dim 指定範囲 As Range

    Dim 年度 As Integer


    ' "表"シートの(3行,2列)～(132行,13列)のセル範囲を指定範囲にセット

    Set 指定範囲 = 機能.範囲.S_範囲指定_四角( _
        Worksheets("表").Cells(3, 2), Worksheets("表").Cells(132, 13))

    ' 指定範囲のセルの値をクリア

    Call 機能.範囲.C_クリア(指定範囲, 書式は残す)

    ' "取引先集計"の(2行,1列)に入力されている年度(数値)を取得

    年度 = Worksheets("取引先集計").Cells(2, 1)

    ' 年度を用いてタイトルを作り、(1行,1列)のセルに入力

    Worksheets("表").Cells(1, 1) = 年度 & "年度取引先別出荷量集計"

End Sub
```

文字列をつなげる

ステップ 8：表に書き込み

　表をクリアできたら、クリアされた表に出荷量を書き込んでいきましょう。手順としては、Worksheets("取引先集計")のデータを上から順番に見ていって、Worksheets("表")の1列目を「機能.検索.行取得」という命令で検索して対象の取引先コードの行を見つけ、次に「機能.検索.列取得」という命令で2行目を検索して対象の月の列を見つけます。検索して見つかった場所はCells(行,列)となるので、このセルに出荷量を書き込みます。これをFor文で繰り返せば、Worksheets("取引先集計")に記入されているデータをすべて表に転記することができます。プログラムの中に「If 行 <> 0 And 列 <> 0 Then」とありますが、検索で見つからなかった場合、「機能.検索.行取得」「機能.検索.列取得」は0という値を返します。つまり、行や列が見つかった場合は0以外の数字が戻り値として返されるので、「0でなかったら、記入する」という条件を入れています。

　「機能.更新表示.C_自動計算」という命令は、Excelの自動計算機能をオフにしたりオンにしたりするものです。今回は表の中に合計を計算するSUM関数が入っており、数値が記入されるたびに再計算されます。そうすると、プログラムの実行速度が遅くなるので、自動計算機能をオフにして、すべて書き終わってからオンに戻しています。

▼集計後

▼抽出した年度のデータを取引先コードごとに月別に集計するプログラム

```
Sub 表にまとめる()
    Dim 取引先コード As String
    Dim 月 As Integer, 数量 As Integer, 列 As Integer
    Dim 行 As Long, 最終行 As Long


    ' 計算式が入力されているセルが自動計算されないようにする
    Call 機能.更新表示.C_自動計算(オフ)
    ' "取引先集計"シートの1列目の最終行を取得
    最終行 = 機能.範囲.最終行取得(Worksheets("取引先集計"), 1)
    ' "取引先集計"シートの2行目から最終行まで繰り返す
    For i = 2 To 最終行
        ' "取引先集計"シートの(i行,3列)の取引先コードを取得
        取引先コード = Worksheets("取引先集計").Cells(i, 3)
        ' "取引先集計"シートの(i行,2列)の月を取得
        月 = Worksheets("取引先集計").Cells(i, 2)
        ' "取引先集計"シートの(i行,4列)の出荷量を取得
        数量 = Worksheets("取引先集計").Cells(i, 4)
        ' "表"シートの1列目で現在の商品コードに合致する行を取得
        行 = 機能.検索.行取得(Worksheets("表"), 1, 取引先コード, 上から)
        ' "表"シートの2行目で現在の月に合致する列を取得
        列 = 機能.検索.列取得(Worksheets("表"), 2, 月, 左から)
        ' 行の値が0ではなく、かつ列の値が0ではない場合
        If 行 <> 0 And 列 <> 0 Then
            ' "表"シートの現在の(行,列)のセルに
            ' "取引先集計"シートの(i行,4列)の出荷量を入力
            Worksheets("表").Cells(行, 列) = 数量
        End If
    Next i
    ' 計算式が入力されているセルが自動計算されるようにする
    Call 機能.更新表示.C_自動計算(オン)
End Sub
```

新しいファイルとして保存する

最後に作成した表を「●年度_取引先別出荷量.xlsx」というファイル名で保存します。

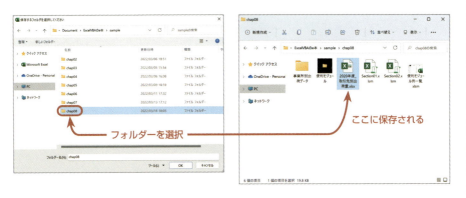

フォルダーを選択 / ここに保存される

▼集計後の"表"シートを「xxxx年度_取引先別出荷量.xlsx」という名前の
ブックとして保存するプログラム

```
Sub 新しいブックとして保存()

    Dim b As Workbook
    Dim 年度 As Integer

    年度 = Worksheets("取引先集計").Cells(2, 1)
    Set b = 機能.シート.S_コピーを新規ブックに作成(Worksheets("表"))
    ファイルパス = 機能.フォルダ.ダイアログ選択("保存するフォルダを選択してください")

    Call 機能.ブック.C_名前を付けて保存( _
        b, ファイルパス, 年度 & "年度_取引先別出荷量", 一般)

    Call 機能.ブック.C_閉じる(b, 保存しない)
End Sub
```

シートをコピーした新規ブックをbにセット

上で名前を付けて保存したので、保存せずに閉じる

Callですべてを呼び出す

これまで作ったプログラムをCallで呼び出せば、順番にすべてのプログラムが実行されます。このようにして、シート数は多くなりますが、結果をこまめにワークシートに出力し、小さなプログラムを作っていき、最後にCallですべて呼び出してやる——というようにプログラムを作っていけば、完成か未完成かの二択ではなく、「ここまでは自動化できた、そのあとはいま作っているからできるまでは手作業」というように間を刻めるわけです。

▼これまでに作成したすべてのプログラム（マクロ）を順番に実行する

```
Sub メイン()
    Call シートを初期化3
    Call ファイル一覧を作成
    Call 1つのシートにまとめる
    Call 年月を記入
    Call 年度データの抽出
    Call 取引先集計項目を作成
    Call 集計する
    Call 表をクリア
    Call 表にまとめる
    Call 新しいブックとして保存
End Sub
```

「C_条件で抽出」の条件設定

COLUMN

　8章で説明した「機能.抽出.C_条件で抽出」という命令は、VBAのアドバンスドフィルターという機能を使っています。アドバンスドフィルターは、抽出したい項目と条件をワークシートに書き込んで、その内容でデータを抽出するというものです。

条件の記述方法がちょっとわかりづらいので、このコラムで説明したいと思います。

　図のような学年・学部・年齢・名前が記入されているデータを例にして、様々な条件でデータを抽出するための条件の書き方を見ていきましょう。

● OR条件

　OR条件を記述する場合は縦に並べていきます。

　　　　　　　学年が1　OR　2

というデータを抽出したい➡抽出条件1のように記述します。

▼抽出条件1

▼OR条件のプログラム（chap08/column.xlsm の「Module1」）

```
Sub OR条件()
    Worksheets("抽出").Cells.Clear
    Worksheets("データ").UsedRange.AdvancedFilter Action:=xlFilterCopy, _
        CriteriaRange:=Worksheets("抽出条件1").UsedRange, _
        CopyToRange:=Worksheets("抽出").Range("A1"), _
        Unique:=False
End Sub
```

● AND条件

AND条件を記述する場合は横に並べていきます。

　　　　　学年が1　AND　年齢が18

というデータを抽出したい➡抽出条件2のように記述します。

▼抽出条件2

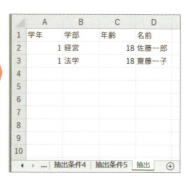

横に並べる
➡AND

▼AND条件のプログラム（chap08/column.xlsm の「Module1」）

```
Sub AND条件()
    Worksheets("抽出").Cells.Clear
    Worksheets("データ").UsedRange.AdvancedFilter Action:=xlFilterCopy, _
        CriteriaRange:=Worksheets("抽出条件2").UsedRange, _
        CopyToRange:=Worksheets("抽出").Range("A1"), _
        Unique:=False
End Sub
```

●〜より大きい・小さい

〜より大きい、〜より小さいといった条件を記述する場合は不等号を使います。

　　　　　　　学年が１　AND　年齢が18より大きい

というデータを抽出したい➡抽出条件３のように記述します。

▼抽出条件３

こんな指定方法もあるよ

▼より大きい・小さい条件のプログラム（chap08/column.xlsm の「Module1」）

```
Sub より大きい小さい()
    Worksheets("抽出").Cells.Clear
    Worksheets("データ").UsedRange.AdvancedFilter Action:=xlFilterCopy, _
        CriteriaRange:=Worksheets("抽出条件3").UsedRange, _
        CopyToRange:=Worksheets("抽出").Range("A1"), _
        Unique:=False
End Sub
```

● OR・AND 条件

AND 条件を OR 条件でつなげる場合も、各原則の記述方法と同じです。

学年が1　AND　学部が経営　AND　年齢が18より大きい

OR

学年が2　AND　学部が経営　AND　年齢が18より大きい

というデータを抽出したい➡抽出条件4のように記述します。

▼抽出条件4

	A	B	C
1	学年	学部	年齢
2	1	経営	>18
3	2	経営	>18
4			
5			
6			
7			
8			
9			
10			

... | 抽出条件4 | 抽出条件5

	A	B	C	D	E
1	学年	学部	年齢	名前	
2	2	経営	19	佐藤二朗	
3					
4					
5					
6					
7					
8					
9					
10					

... | 抽出条件3 | 抽出条件4 | 抽出条件5 | 抽出

▼ OR と AND 条件のプログラム（chap08/column.xlsm の「Module1」）

```
Sub ORとAND条件()
    Worksheets("抽出").Cells.Clear
    Worksheets("データ").UsedRange.AdvancedFilter Action:=xlFilterCopy, _
        CriteriaRange:=Worksheets("抽出条件4").UsedRange, _
        CopyToRange:=Worksheets("抽出").Range("A1"), _
        Unique:=False
End Sub
```

| 学年が１ | AND | 学部が経営 | AND | 年齢が１８より大きい |

OR

| 学年が２ | AND | 学部が経営 | AND | 年齢が１８より大きい |

OR

| 名前が齋藤○○ |

というデータを抽出したい➡抽出条件５のように記述します。「＊」はどんな
文字でもよいという意味になります。

▼抽出条件５

	A	B	C	D
1	学年	学部	年齢	名前
2	1	経営	>18	
3	2	経営	>18	
4				齋藤*
5				
6				
7				
8				
9				
10				

‹ › ... 抽出条件4 | 抽出条件5 | 抽出 | ⊕

	A	B	C	D
1	学年	学部	年齢	名前
2	1	法学	18	齋藤一子
3	2	経営	19	佐藤二朗
4	2	法学	19	齋藤二葉
5	3	法学	20	齋藤三代
6	4	法学	21	齋藤四代
7				
8				
9				
10				

‹ › ... 抽出条件4 | 抽出条件5 | 抽出 | ⊕

▼ OR と AND 条件のプログラム２（chap08/column.xlsm の「Module1」）

```
Sub ORとAND条件2()
    Worksheets("抽出").Cells.Clear
    Worksheets("データ").UsedRange.AdvancedFilter Action:=xlFilterCopy, _
        CriteriaRange:=Worksheets("抽出条件5").UsedRange, _
        CopyToRange:=Worksheets("抽出").Range("A1"), _
        Unique:=False
End Sub
```

資料 01 演習問題正解編

Chapter 3 演習問題

ダウンロード　03ensyu-ans.xlsm

演習 1　正解例

▼演習 1 正解例

```
Sub 演習1()
    Dim s As Worksheet
    Dim a As Integer
    
    Set s = ThisWorkbook.Worksheets("演習1")
    
    a = s.Cells(1, 1)
    s.Cells(1, 1) = s.Cells(1, 2)
    s.Cells(1, 2) = a

End Sub
```

❶
❷　値の入れ替え
❸
❹オブジェクト変数にワークシートを代入

解説

変数を2つ用意して

a = s.Cells(1, 1)
b = s.Cells(1, 2)

s.Cells(1, 1) = b
s.Cells(1, 2) = a

としてもよいのですが、正解例では 1 つの変数で入れ替えを行う例を示しました。

❶変数 a に (1,1) の値を代入します。
❷ (1,2) の値を (1,1) に代入します。
❸ (1,2) に変数 a の値を代入します。

そうすると、2 つのセルの値が入れ替わります。

値の入れ替え

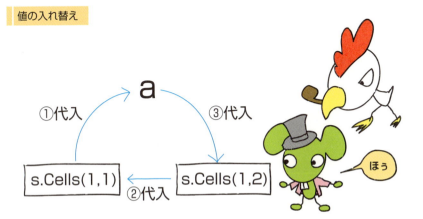

また、❶～❸の「s.Cells ～」は「ThisWorkbook.Worksheets(" 演習 1").Cells ～」の省略形です。❹でオブジェクト変数の s に「ThisWorkbook.Worksheets(" 演習 1")」を代入することによって、以後は ThisWorkbook.Worksheets(" 演習 1") を s と呼ぶことができます。

どうですか？ 簡単そうに見えて、意外と難しかったのではないでしょうか？
できなくても、落ち込む必要はありません。誰でも最初はできません。

演習 2　正解例

▼演習 2 正解例

```
Sub 演習2()
    Dim s As Worksheet
    Dim 最大値 As Integer      ← 最大値を代入するための変数「最大値」
    Dim 値 As Integer


    Set s = ThisWorkbook.Worksheets("演習2")


    最大値 = s.Cells(2, 1)     ← ❶まずはセル(2,1)の値を最大値に代入
    For i = 3 To 40            ← ❹


        値 = s.Cells(i, 1)
        If 値 > 最大値 Then     ← ❷          値が最大値より大きかった
            最大値 = 値         ← ❸          ら最大値に値を代入
        End If
    Next i


    s.Cells(2, 2) = 最大値
End Sub
```

解説

最大値を求めるプログラムには代入、条件分岐、繰り返しのすべてが入っています。

❶ 最大値という変数に (2, 1) の値を代入します。
❷ 3 行目のセルの値が最大値に入っている値より大きかったら…
❸ 最大値にセルの値を代入します。
❹ 40 行目まで❷〜❸を繰り返します。

最大値用の変数を準備して、セルを上から順番に見て、セルの値と変数の値を比較して、セルの値の方が大きかったら、そのセルの値を変数に代入して変数の値を更新するのです。

最大値を求めるアルゴリズム

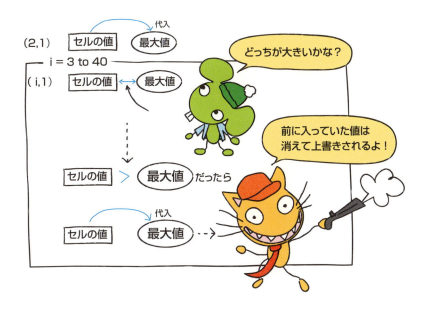

　Section 02で「どのような変数を準備して、どこで代入するか？」と説明しましたが、その意味がわかっていただけたかと思います。

　「1つ変数を用意して、条件を満たせば、その変数をどんどん上書きしていく」という発想ができなかった人も多いのではないでしょうか？　これが「どのような変数を準備して、どこで代入するか？」の難しさです。

演習3 正解例

▼演習3 正解例

```
Sub 演習3()

    Dim s As Worksheet

    Dim 値 As Integer

    Dim 判定 As String


    Set s = ThisWorkbook.Worksheets("演習3")



    For i = 2 To 40         ←── ❹

        値 = s.Cells(i, 1)


        If 値 Mod 2 = 0 Then    ←── ❶値を2で割ったときの余りで偶数か
            判定 = "偶数"                  奇数かを判定する

        Else     ←── ❷

            判定 = "奇数"

        End If

        s.Cells(i, 2) = 判定    ←── ❸

    Next i


End Sub
```

解説

　この問題は簡単ですね。ポイントは❶です。余りを求める Mod という演算子を使って、2で割った余りを求めています。

❶ 2で割った余りが0だったら、判定という変数に"偶数"と代入します。

❷ 2で割った余りが0以外の場合は、判定という変数に"奇数"を代入します。

❸ 2列目のセルに、判定という変数に入っている値を代入します。

❹ ❶～❸を40行目まで繰り返します。

正解例では、❸で判定という変数をセルに代入しています。

```
If 値 Mod 2 = 0 Then
    s.Cells(i, 2) = "偶数"
Else
    s.Cells(i, 2) = "奇数"
End If
```

としてしまえば、「❸の文がいらないのでは？」と思うかもしれません。

しかし、例えばプログラムを修正する必要が生じ、3列目に偶数か奇数を記入することになったとします。

そうなった場合、このプログラムでは、次のように2カ所修正しなくてはいけません。

```
If 値 Mod 2 = 0 Then
    s.Cells(i, 3) = "偶数"
Else
    s.Cells(i, 3) = "奇数"
End If
```

正解例のようにしておくと、

```
s.Cells(i, 3) = 判定
```

の1カ所だけの修正で済みます。

演習 4 正解例

▼演習 4 正解例

```
Sub 演習4()
    Dim s As Worksheet
    Dim i As Integer                        ←①
    Dim j As Integer                        ←②
    Dim cnt As Integer                      ←③


    Set s = ThisWorkbook.Worksheets("演習4")


    cnt = 1                                 ←④
    For i = 1 To 10                         ←⑤行の繰り返し
        For j = 1 To 5                      ←⑥列の繰り返し
            s.Cells(i, j) = cnt            ←⑦
            cnt = cnt + 1                   ←⑧
        Next j
    Next i
End Sub
```

解説

　この問題のポイントは、二重構造の For 文と、1 ～ 50 の数字をどのようにカウントするかです。

① i は行のカウンター変数です。

② j は列のカウンター変数です。

③ cnt は 1 ～ 50 の数字をカウントするための変数です。

④ cnt に初期値の 1 を代入します。

⑤⑥二重構造の For 文を作ります。

⑦ cnt に入っている数値をセルに代入します。

⑧ cnt に入っている値に 1 を足します。

プログラムでは、繰り返しの中で、変数に特定の数値をどんどん足していくことがよくあります。その場合は、演習4のcntのように

変数 ＝ 変数 ＋ 足したい数値

と記述すると、変数に入っていた数値に足したい数値を足した値が、新たに変数に代入されます。よく使うので、この形を覚えておきましょう！

演習5　正解例

▼演習5 正解例

```
Sub 演習5()
    Dim s As Worksheet
    Dim 身長 As Double                    ← ①
    Dim 体重 As Double                    ← ②   実数を扱うので
    Dim BMI As Double                     ← ③   Double型で宣言
    Dim 判定 As String

    Set s = ThisWorkbook.Worksheets("演習5")
```

```
    For i = 2 To 40
        身長 = s.Cells(i, 1)
        体重 = s.Cells(i, 2)
        BMI = 体重 / (身長 / 100) ^ 2


        If BMI < 18.5 Then              ←──❹
            判定 = "やせ"
        ElseIf 18.5 <= BMI And BMI < 25 Then  ←──❺
            判定 = "標準"
        ElseIf 25 <= BMI And BMI < 30 Then  ←──❻
            判定 = "肥満"
        Else                            ←──❼
            判定 = "高度肥満"
        End If


        s.Cells(i, 3) = BMI
        s.Cells(i, 4) = 判定
    Next i


End Sub
```

ElseIf を使
った If 文

解説

　ここでのポイントは、身長、体重、BMI が整数ではないということです。小数部分がある実数なので、身長、体重、BMI という変数のデータ型を Double 型で宣言する必要があります（❶〜❸）。

　また❹〜❼では、「<」などの比較演算子と「And」という論理演算子を使って条件分岐を行っています。

　「BMI が 30 以上は高度肥満」なので、❼は次のようにしても正解です。

```
ElseIf 30 <= BMI Then
```

　正解例では、❹〜❻の条件に合わないという条件（Else）は、すなわち 30 以上という条件（ElseIf 30 <= BMI）を意味しますので、❼のような表記にしました。

演習6 正解例

▼演習6 正解例

```
Sub 演習6()

    Dim s1 As Worksheet

    Dim s2 As Worksheet


    Set s1 = ThisWorkbook.Worksheets("演習6")

    Set s2 = ThisWorkbook.Worksheets("コピー先")


    For i = 1 To 40

        For j = 1 To 2

            s2.Cells(i, j) = s1.Cells(i, j)    ← ❷ s1のセル値を
                                                      s2のセルに代入
        Next j

    Next i

End Sub
```

解説

　これまでの例や演習は1つのWorksheet上での処理でした。演習6は複数のシートの処理です。s1のセルの値をs2のセルに代入する場合は、次のようにWorksheetを指定し、ふつうの代入と同じように記述してください。

```
s2.Cells(i, j) = s1.Cells(i, j)
```

Chapter 4 演習問題

ダウンロード　04ensyu-ans.xlsm

演習 1　正解例

▼演習 1 正解例

```
Sub 演習1()
    Dim s As Worksheet
    Dim 通話時間 As Integer
    Dim i As Integer

    Set s = ThisWorkbook.Worksheets("演習1")

    For i = 1 To 10
        通話時間 = s.Cells(i, 1)
        s.Cells(i, 2) = コース判定(通話時間)
    Next i
End Sub

Function コース判定(通話時間 As Integer)      ← ❶コース判定の関数
    Dim 判定 As String
    Dim 通話料金 As Long
    Dim 超過時間 As Integer
    Dim 固定料金 As Integer

    固定料金 = 2880       ← ❷

    If 通話時間 <= 200 Then      ← ❸
        通話料金 = 固定料金      ← ❹
    Else
        超過時間 = 通話時間 - 200      ← ❺
        通話料金 = 固定料金 + 42 * 超過時間      ← ❻
```

通話時間から通話料金を計算

```
        End If


    If 通話料金 <= 固定料金 Then  ←———❼
        判定 = " 適切なコースを選択しています。"
    ElseIf 固定料金 < 通話料金 And 通話料金 <= 10000 Then
        判定 = "B コースに変更することをおすすめします。"
    Else
        判定 = " 使いすぎです！"
    End If


    コース判定 = 判定  ←———❽
End Function
```

通話料金から適切なコースを判定

解説

❶ Function プロシージャで「コース判定」という関数を作成し、通話時間の値を受け取るために Integer 型の引数を設定します。

❷ 通話時間が 200 分以内の場合の固定料金の金額 2880 円を、「固定料金」という変数に代入します。

❸ If 文を使って、引数で受け取った「通話時間」の値が 200 分以下の場合と、それ以外の場合に条件分岐します。

❹ 通話時間が 200 分以下の場合は、「通話料金」という変数に「固定料金」の値を代入します。

❺ 通話時間が 200 分を超えた場合は、「超過時間」という変数に（通話時間− 200 分）の値を代入します。

❻ 「通話料金」という変数に（固定料金＋ 42 円×超過時間）の値を代入します。

❼ ❻までで通話料金が計算されたので、If 文を使って、「通話料金」という変数に入っている値が 2880 円以下の場合、2880 円より大きく 10000 円以下の場合、10000 円より大きい場合に場合分けし、問題で設定された文字列を「判定」という変数に代入します。

❽ 関数名である「コース判定」に「判定」という変数の値を代入し、値を返します。

演習2 正解例

▼演習2 正解例

```
Sub 演習2()
    Dim 値(1 To 10)                          ← ❶
    Dim i As Integer
    Dim j As Integer
    Dim s As Worksheet

    Set s = ThisWorkbook.Worksheets("演習2")

    For i = 1 To 10
        値(i) = s.Cells(i, 1)                ← ❷
    Next i

    j = 1
    For i = 10 To 1 Step -1                  ← ❸
        s.Cells(j, 1) = 値(i)                ← ❹
        j = j + 1
    Next i

End Sub
```

ここがポイント！
iとjの関係をよく見てみて！

解説

❶ 要素数10の1次元配列「値」を定義します。

❷ セル(1,1)〜(10,1)に入っている値を配列「値」に代入します。その際、次のように、セルの行と配列の添え字を一致させることによって、値(1)にセル(1,1)の値、値(2)にはセル(2,1)の値、…というように代入されます。

> 値(i) = s.Cells(i, 1)

❸ 値 (10) の値はセル (1,1) に代入し、値 (9) の値はセル (2,1) に代入するというように、セルの数値を逆順に入れ直すため、配列「値」に代入されている値を、値 (10)、値 (9)、値 (8)、…という順番で取り出すことを考えます。次のように、開始値を 10、終了値を 1、Step を -1 とすることで、繰り返しのたびにカウンター変数を減らしていきます。

```
For i = 10 To 1 Step -1
```

❹ ❸で繰り返しのたびにカウンターを減らす For 文を作ったので、値 (i) は値 (10)、値 (9)、値 (8)、…となります。しかし、セル (1,1) = 値 (10)、セル (2,1) = 値 (9) 、セル (3,1)= 値 (8)、…と代入したいので、セルの行は、繰り返しのたびに 1 ずつ増やしていく必要があります。

そこで、「j」という変数を用意して、For 文の最後に「j = j + 1」と記述することで、変数「j」の値を 1 ずつ増やします。そうすることで、「s.Cells(j, 1) = 値 (i)」は、次のようになります。

```
s.Cells(1, 1) = 値 (10)
s.Cells(2, 1) = 値 (9)
s.Cells(3, 1) = 値 (8)
      ⋮
```

Chapter 5 演習問題

ダウンロード　05ensyu-ans.xlsm

演習 1　正解例

▼演習 1 正解例

```
Sub 演習1()
    Dim s As Worksheet
    Dim i As Integer
    Dim 最終行 As Long

    Set s = ThisWorkbook.Worksheets("演習1")

    最終行 = s.Cells(s.Rows.Count, 1).End(xlUp).Row     ← ❶ 1 列目の最終
    For i = 1 To 最終行                                       行を取得
        If s.Cells(i, 1) >= 100 Then
            s.Cells(i, 1).Interior.Color = vbRed        ← ❷ セルの背景色
        End If
    Next i

End Sub
```

解説

ポイントは❶でデータの入っている最終行を求めるところです。

❶ 数値が何行目まで入っているかわからないので、1 列目の数値の入っている最終行を

　最終行 = s.Cells(s.Rows.Count, 1).End(xlUp).Row

で、求めて「最終行」という変数に代入します。

❷ セルの背景色を、vbRed という定数を使って赤色に設定します。

資料02 主要コマンド一覧

● ステートメント（文）

本書での取り扱い	ステートメント名	説明
	Const	定数
○	Dim	変数、配列
○	ReDim	配列の再定義
	Static	変数、配列
○	Public	変数の有効範囲
	Private	変数の有効範囲
○	For ～ Next	繰り返し
	For Each ～ Next	繰り返し
○	Exit For	繰り返しを抜ける
○	Do Until ～ Loop	繰り返し
○	Do While ～ Loop	繰り返し
○	Do ～ Loop	繰り返し
○	Exit Do	繰り返しを抜ける
	While ～ Wend	繰り返し
○	GoTo	指定した位置にジャンプ
○	If ～ Then	条件分岐
○	If ～ Then ～ Else	条件分岐
○	If ～ Then ～ ElseIf	条件分岐
○	Select Case	条件分岐
○	Exit Sub	Sub プロシージャを抜ける
○	Exit Function	Function プロシージャを抜ける
○	End	プログラムを終了する
○	Set	オブジェクト変数の代入
○	With	オブジェクトの対象にする
	Date	日付
	Time	時刻
○	Randomize	乱数の初期化

● メソッド

本書での取り扱い	メソッド名	説明
	Activate	ブックを選択する、シートを選択する
	Select	複数のシートを選択する、セルを選択する
○	Add	ブックを追加する、シートを追加する
○	Clear	セルをクリアする
	ClearContents	セルの文字列・数式をクリアする
	ClearFormats	セルの書式をクリアする
	ClearComments	セルのコメント文をクリアする
	ClearOutline	セルのアウトラインをクリアする
○	Close	ブックを閉じる
	Copy	シートをコピーする、セルをコピーする、その他オブジェクトをコピーする
	Cut	セルを切り取る
○	Delete	シートを削除する
	Move	シートを移動する
○	Open	ブックを開く
	Paste	クリップボードの内容を貼り付ける
	PrintOut	シートを印刷する
○	Save	ブックを上書き保存する
	SaveAs	ブックを名前を付けて保存する
	Select	複数のシートを選択する、セルを選択する

● プロパティ

本書での取り扱い	プロパティ名	説明
○	Interior	セルの背景色などの塗りつぶし属性
	Bold	太字
○	Range	範囲の指定
○	Cells	セル番地の指定
○	Color/ColorIndex	色の指定
○	Count	シート数、行や列の数
○	End	終端
○	Font	フォント
	Size	フォントのサイズ
○	Hidden	行や列を非表示
	Formula	計算式の指定

	Italic	斜体
	LineStyle	罫線
○	Name	名前の指定
	Offset	範囲指定
	Resize	指定した範囲の変更
	Saved	ブックが保存されているかの有無
	Value	文字の入力、値の取得
	Weight	罫線の太さ
	Visible	シートの表示 / 非表示

●オブジェクト

本書での取り扱い	オブジェクト名	説明
○	Font	フォント
○	Range	セル範囲
○	Workbook	ブック
○	Worksheet	ワークシート
○	Chart	グラフ
	Window	ウィンドウ
○	Application	アプリケーション

●イベント

本書での取り扱い	イベント名	説明
○	Activate	ワークシートイベント、ワークブックイベント
○	Deactivate	ワークシートイベント
○	Change	ワークシートイベント
○	SelectionChange	ワークシートイベント
○	BeforeDoubleClick	ワークシートイベント
○	BeforeRightClick	ワークシートイベント
○	Calculate	ワークシートイベント
○	FollowHyperlink	ワークシートイベント
○	PivotTableUpdate	ワークシートイベント
	Open	ワークブックイベント
	BeforeClose	ワークブックイベント
	BeforeSave	ワークブックイベント
	WindowResize	ワークブックイベント
	WindowActivate	ワークブックイベント

●関数

本書での取り扱い	関数名	説明	関数名
○	Max	最大値	ワークシート関数
○	Min	最小値	ワークシート関数
○	Sum	合計	ワークシート関数
○	Average	平均値	ワークシート関数
	Date	日付	VBA 関数
	Now	日付と時刻	VBA 関数
○	DateAdd	日付の加算	VBA 関数
○	DateDiff	日付の間隔	VBA 関数
○	Len	文字列の長さ	VBA 関数
○	Mid	文字列の抽出	VBA 関数
○	Left	文字列の抽出	VBA 関数
○	Right	文字列の抽出	VBA 関数
○	CBool	データ型の変換	VBA 関数
○	CByte	データ型の変換	VBA 関数
○	CCur	データ型の変換	VBA 関数
○	CDate	データ型の変換	VBA 関数
○	CDbl	データ型の変換	VBA 関数
○	CDec	データ型の変換	VBA 関数
○	CInt	データ型の変換	VBA 関数
○	CLng	データ型の変換	VBA 関数
○	CSng	データ型の変換	VBA 関数
○	CVar	データ型の変換	VBA 関数
○	CStr	データ型の変換	VBA 関数
○	Abs	絶対値	VBA 関数
○	Int	整数部分の抽出	VBA 関数
○	Fix	整数部分の抽出	VBA 関数
○	Sqr	平方根	VBA 関数
○	Rnd	乱数	VBA 関数
○	Sin	三角関数	VBA 関数
○	Cos	三角関数	VBA 関数
○	Tan	三角関数	VBA 関数
	Atn	三角関数	VBA 関数

用語索引

INDEX

ひらがな・カタカナ

あ・ア行

値渡し	94
アドバンスドフィルター	197,207
アプリケーション	16
アルゴリズム	119
イコール	50
イベント	178,229
色の定数	109
インデント	74
インプットボックス	175
インポート	163
ウォッチウィンドウ	167
ウォッチ式	167
エクスポート	162
エディター	31
演算子	69
オブジェクト	40,229
オブジェクト変数	71

か・カ行

カウンター変数	63,64,138
関数	82,230
行	41
行ラベル	145
繰り返し	60,136
コメント	75
コレクション	41
コンテンツの有効化	38

さ・サ行

再定義	100
三角関数	129
算術演算子	69
参照渡し	94

し (続き)

シートモジュール	177
ジャンプ	144
条件分岐	56,134
処理	62
シングルクォーテーション	75
ステートメント	227
制御文	68
整数型	53
セキュリティ	28
絶対値	125
セル	41
セルの背景色	108
宣言	53,98
添え字	99

た・タ行

代入	49,50,187
単精度浮動小数点型	53
長整数型	53
通貨型	53
データ型	52
データ型変換関数	124
手順化	46
ドット	42,74,185

な・ナ行

二重構造	65

は・ハ行

倍精度浮動小数点型	53
バイト型	53
配列	97
配列の宣言	98
バリアント型	53
比較演算子	69
光の3原色	109

引数 83,84,92	
引数の上書き 92	
日付 120	
日付型 53	
標準モジュール 33	
ピリオド 42	
ブール型 53	
フォント 106	
フォントの色 107	
ブレークポイント 166	
プログラミング言語 16	
プログラム 16	
プロシージャ 34	
プロシージャ名 34	
プロジェクト 90	
プロパティ 43,228	
平方根 127	
変数 49	
変数の宣言 53	
変数の有効範囲 89	
保存 38	

ま・マ 行

マクロ 28
命令 188
メソッド 43,228
メッセージボックス 171
メモリ 95
モジュール 33
モジュール化 160
文字列 55
文字列型 53
戻り値 83,84

や・ヤ 行

ユーザーインターフェース 169
ユーザー定義型 147,151
ユーザー定義関数 86
要素数 99

ら・ラ 行

ラジアン 129
乱数 127
列 41
論理演算子 70

わ・ワ 行

ワークシートイベント 176
ワークシート関数 82,118

アルファベット

A

Abs 関数 125
Activate イベント 178
Add メソッド 115,117
And 70
AND 条件 208,210

B

BeforeDoubleClick イベント 178
BeforeRightClick イベント 178
BMI 78
Boolean 型 53
ByRef 96
Byte 型 53
ByVal 96

C

Calculate イベント 178
Call 156,187,206
CBool 関数 124
CByte 関数 124
CCur 関数 124
CDate 関数 124
CDbl 関数 124
CDec 関数 124
Change イベント 178

CInt 関数 124
CLng 関数 124
Close メソッド 116
ColorIndex 109
ColorIndex プロパティ 107,108
Color プロパティ 107,108
Cos 関数 129
Count プロパティ 114
CSng 関数 124
CStr 関数 124
Currency 型 53
CVar 関数 124

D

Date 型 53
DateAdd 関数 120
DateDiff 関数 121
Deactivate イベント 178
Delete メソッド 110,116
Dim 54
Do 文 136,138
Do Until 文 136
Do While 文 136
Double 型 53

E

ElseIf 59
End プロパティ 112
End 文 146
Excel ブック 32
Excel マクロ有効ブック 32,38
Excel VBA 18,23,105
Exit 文 141

F

Fix 関数 125
FollowHyperlink イベント 178
For 文 60,62,138
Function プロシージャ 86

G

Goto 文 144

H

Hidden プロパティ 111

I

If 文 56,134
Integer 型 52
Int 関数 125

L

Left 関数 123
Len 関数 84,122
Long 型 53

M

Max 関数 118
Mid 関数 85,123
Min 関数 118
Mod 69

N

Name プロパティ 106
Not 70

O

Open メソッド 116
Or 70
OR 条件 207,210

P

PibvotTableUpdate イベント 178
Public 90

233

R

Randomize	128
Range プロパティ	114
ReDim	100
RGB	109
Right 関数	123
Rnd 関数	127

S

Save メソッド	116
Select Case 文	134
SelectionChange イベント	178
Set	71
Single 型	53
Sin 関数	129
Sqr 関数	127
String 型	53,55
Sub プロシージャ	34,156
Sum 関数	118

T

Tan 関数	129

U

Until	139

V

Variant 型	53,149
VBA	16
VBA 関数	83
vbAbort 定数	174
vbCancel 定数	174
VBE	31
vbIgnore 定数	174
vbNo 定数	174
vbOK 定数	174
vbRetry 定数	174
vbYes 定数	174
Visual Basic	16

W

While	139
With 文	73
Worksheet	41
Worksheets	41

X

xlsm	32,38
xlsx	32

数字・記号

1 次元配列	97
2 次元配列	97
2 進数	131
'	75
－	69
&	55
＊	69
.	42,74,185
/	69
^	69
¥	69
＋	69
<	69
<=	69
<>	69
=	50,69
>	69
>=	69

ダウンロードサービスのご案内

本書では、

- 本書の演習で必要なファイル
- 本書をご購入いただいた方への特典である実用プログラム

を次の URL からダウンロードできるダウンロードサービスを行っています。

URL　https://www.shuwasystem.co.jp/support/7980html/6711.html

ダウンロードファイルの内容

- 2 章のサンプルデータ（「chap02」フォルダー）
- 3 章のサンプルデータ（「chap03」フォルダー）
- 3 章の演習問題の実践用ファイルと正解例（「chap03/演習」フォルダー）
- 4 章のサンプルデータ（「chap04」フォルダー）
- 4 章の演習問題の実践用ファイルと正解例（「chap04/演習」フォルダー）
- 5 章のサンプルデータ（「chap05」フォルダー）
- 5 章の演習問題の実践用ファイルと正解例（「chap05/演習」フォルダー）
- 6 章のサンプルデータ（「chap06」フォルダー）
- 7 章のサンプルデータ（「chap07」フォルダー）
- 8 章のサンプルデータ（「chap08」フォルダー）
- 便利モジュール（「chap08/便利モジュール」フォルダー）

本書をご購入いただいた方への特典とお願い

・便利モジュールは特典の実用プログラムです。
・営利目的での再配布はご遠慮ください。

世界でいちばん簡単な
ExcelVBAのe本
【最新第4版】Excel2021/2019 完全対応版
ExcelVBAの基本と考え方がわかる本

2022年 5月25日 第1版 第1刷発行

著 者　　道用 大介

発行者　　斉藤 和邦
発 行　　株式会社秀和システム
　　　　　〒135-0016
　　　　　東京都江東区東陽2-4-2 新宮ビル2F
　　　　　Tel　03-6264-3105（販売）
　　　　　Fax　03-6264-3094

執筆協力　チーム・カルポ
イラスト　CHOKOL★

印刷所　　三松堂印刷株式会社
ISBN978-4-7980-6711-7 C3055

定価はカバーに表示してあります。

乱丁本・落丁本はお取りかえいたします。

本書に関するご質問については、ご質問の内容と住所、氏名、電話番号を明記の上、当社編集部宛FAX、または書面にてお送りください。お電話によるご質問は受け付けておりませんので、あらかじめご了承ください。

Printed in Japan